KITCHEN GALERIE

Design graphique : Ann-Sophie Caouette
Révision : Sylvie Massariol
Correction : Lucie Desaulniers
Photos : Fabrice Gaëtan
Stylisme : Chantale Legault
Recherche d'accessoires : Dominique Dubé
Traitement des images : Mélanie Sabourin
Collaboration à la rédaction : Lynne Faubert

Catalogage avant publication
de Bibliothèque et Archives
nationales du Québec et Bibliothèque
et Archives Canada

Cloutier, Mathieu, chef cuisinier

Kitchen Galerie : 2 chefs, 22 ingrédients, 88 recettes

ISBN 978-2-7619-3386-5

1. Cuisine. 2. Livres de cuisine. I. St-Denis, Jean-Philippe. II. Titre.

TX714.C65 2012   641.5   C2012-941749-1

09-12

Dépôt légal : 2012
Bibliothèque et Archives nationales du Québec

ISBN 978-2-7619-3386-5

DISTRIBUTEURS EXCLUSIFS :

Pour le Canada et les États-Unis :
MESSAGERIES ADP*
2315, rue de la Province
Longueuil, Québec J4G 1G4
Téléphone : 450-640-1237
Télécopieur : 450-674-6237
Internet : www.messageries-adp.com
* filiale du Groupe Sogides inc.,
filiale de Québecor Média inc.

Pour la France et les autres pays :
INTERFORUM editis
Immeuble Paryseine, 3, allée de la Seine
94854 Ivry CEDEX
Téléphone : 33 (0) 1 49 59 11 56/91
Télécopieur : 33 (0) 1 49 59 11 33
Service commandes France Métropolitaine
Téléphone : 33 (0) 2 38 32 71 00
Télécopieur : 33 (0) 2 38 32 71 28
Internet : www.interforum.fr
Service commandes Export – DOM-TOM
Télécopieur : 33 (0) 2 38 32 78 86
Internet : www.interforum.fr
Courriel : cdes-export@interforum.fr

Pour la Suisse :
INTERFORUM editis SUISSE
Case postale 69 – CH 1701 Fribourg – Suisse
Téléphone : 41 (0) 26 460 80 60
Télécopieur : 41 (0) 26 460 80 68
Internet : www.interforumsuisse.ch
Courriel : office@interforumsuisse.ch
Distributeur : OLF S.A.
ZI. 3, Corminboeuf
Case postale 1061 – CH 1701 Fribourg – Suisse
Commandes :
Téléphone : 41 (0) 26 467 53 33
Télécopieur : 41 (0) 26 467 54 66
Internet : www.olf.ch
Courriel : information@olf.ch

Pour la Belgique et le Luxembourg :
INTERFORUM BENELUX S.A.
Fond Jean-Pâques, 6
B-1348 Louvain-La-Neuve
Téléphone : 32 (0) 10 42 03 20
Télécopieur : 32 (0) 10 41 20 24
Internet : www.interforum.be
Courriel : info@interforum.be

Gouvernement du Québec – Programme de crédit d'impôt pour l'édition de livres – Gestion SODEC – www.sodec.gouv.qc.ca

L'Éditeur bénéficie du soutien de la Société de développement des entreprises culturelles du Québec pour son programme d'édition.

Conseil des Arts du Canada   Canada Council for the Arts

Nous remercions le Conseil des Arts du Canada de l'aide accordée à notre programme de publication.

Nous reconnaissons l'aide financière du gouvernement du Canada par l'entremise du Fonds du livre du Canada pour nos activités d'édition.

KITCHEN GALERIE

2 CHEFS
22 INGRÉDIENTS
88 RECETTES

MATHIEU CLOUTIER
Jean-Philippe St-Denis

Une société de Québecor Média

TABLE DES MATIÈRES

KITCHEN GALERIE, CE SONT DEUX RESTAURANTS : LE KITCHEN GALERIE OUVERT EN 2007 PRÈS DU MARCHÉ JEAN-TALON ET LE KITCHEN GALERIE POISSON LANCÉ DANS LE VIEUX-MONTRÉAL EN 2010. MATHIEU, QUI PRÉFÈRE LE POISSON, EST CHEF AU KG. JEAN-PHILIPPE, QUI AFFECTIONNE LA VIANDE, OFFICIE AU KGP. OUI, C'EST CURIEUX...

Pour que ce livre nous ressemble, il fallait bien qu'il s'ouvre sur un paradoxe : on est des fans finis d'ouvrages de cuisine (une déformation professionnelle de chef), mais, au jour le jour, on cuisine ce qui nous passe par la tête. À part quelques spécialités que nos clients apprécient particulièrement, on évite de se répéter. D'ailleurs, le Kitchen Galerie a gagné le Championnat culinaire canadien en 2009 avec un carré de lapin et quenelle de foie gras, recette qu'on n'a jamais refaite depuis. Ni servie au resto. Ça vous donne une idée.

ALORS, QU'EST-CE QU'ON FAIT ICI? Chaque semaine, un client, un chef ou un ami nous demande quand va-t-on finir par pondre un livre, la «galerie» des recettes du Kitchen. Chaque fois, on répond que notre cuisine s'inspire du moment présent, donc impossible à fixer dans le temps.

Bien sûr, on a nos recettes «signature», quoiqu'on résiste rarement au désir de les modifier un peu chaque fois. (On vous encourage fortement à faire de même, d'ailleurs !) On a aussi une façon d'élaborer des menus et de se relancer – lire ici «de se critiquer constamment» – qui intrigue les gens, surtout que ça ne remet jamais notre amitié en question. On a donc finalement décidé d'être fidèles à ça et de miser sur cette dynamique pour sauter dans l'aventure de notre propre livre.

ON VOULAIT UN LIVRE ROCK-AND-ROLL, avec une langue qui est la nôtre, des photos bipolaires et des recettes qui disent les vraies choses. Par exemple, pour la crème, ça prend de la 35 % et rien d'autre. Une bonne sauce BBQ commence par une bouteille de ketchup. Et puis la tête de porc, c'est délicieux si t'as assez de front.

Ce livre, on l'a bâti de la même manière que nos tables d'hôte, en *riffant* autour d'un produit, le meilleur possible, québécois de préférence. On s'est assis dans un restaurant sichuan du Vieux-Montréal pour dresser ensemble la liste de nos ingrédients fétiches. Il y en avait une cinquantaine. Comme on le ferait avec une sauce, on a réduit et réduit encore pour se concentrer sur 22 d'entre eux.

Même si on s'entend sur les ingrédients vedettes, notre approche culinaire est étrangement opposée : Mathieu a un penchant plus gastronomique et monte souvent ses assiettes à la Michel Bras (si vous ne connaissez pas ce célèbre chef français, regardez les photos, vous saisirez tout de suite). Jean-Philippe puise plutôt dans des bases bourguignonnes avec sa bouffe réconfort, cochonne et familiale. (Disons que la mirepoix et la ciboulette font du temps supplémentaire.)

DES PRODUITS TOUJOURS D'ICI. Les ingrédients qu'on a choisis font tous partie de notre terroir, des pommes de terre à la perdrix et des asperges aux petits fruits. En tant que restaurateurs, on a la chance de collaborer avec des producteurs québécois, souvent passionnés par un seul aliment dont ils font toute leur vie.

En fait, on est tellement près de nos producteurs, ils font tellement partie de la famille et vice-versa, que, pendant plusieurs années, Noël se fêtait chez Yves Decelles de Patate Passion, notre père spirituel.

FAIRE SIMPLE, DANS CE LIVRE COMME DANS LA VIE. Chez Kitchen Galerie, on n'a pas de serveur. C'est toute la brigade qui assure le service. Quand on a ouvert le resto sur Jean-Talon, avant que le bouche-à-oreille et les bonnes critiques fassent le tour, nos quatre à six clients par soir nous permettaient de survivre grâce aux pourboires. On n'avait pas de lave-vaisselle, juste assez d'assiettes pour faire la soirée – valait mieux ne pas en casser une! – et on récurait les casseroles en déconnant jusqu'à 4 heures du mat devant une vieille télé noir et blanc. Calcul fait, on gagnait un gros 1,22$ de l'heure!

Mais on était heureux. Après des années à rouler notre bosse du Québec à la France et de l'Angleterre à l'Australie... après des postes de chef exécutif, de sous-chef ou d'entremetier, de Leméac à Chez Holder et du Café Ferreira au Manoir Hovey..., on pouvait enfin créer tous les jours un menu sans limitation et sans rendre de compte à personne. On pouvait décider de servir cinq entrées de foie gras et une lasagne faite avec des wontons frits, juste parce que c'est bon.

Aujourd'hui encore, les clients aiment nous savoir accessibles et sentir qu'ils entrent dans notre cuisine. Cette proximité et cette convivialité sont à la base de notre parcours, alors on a voulu qu'elles se reflètent dans ces pages.

Si vous avez lu jusqu'ici, vous risquez de tripper sur les quelques recettes dont la préparation s'étale sur 24 heures! Pour le reste, on ne le dira jamais assez: oubliez les carcans. N'hésitez pas à interchanger les sauces à volonté, à transformer un accompagnement en lunch vite fait, à varier les légumes au fil des saisons, à substituer votre fromage ou votre pièce de viande préférée. La liberté d'esprit, on aime.

BIENVENUE DANS NOTRE KITCHEN.

MORUE NOIRE

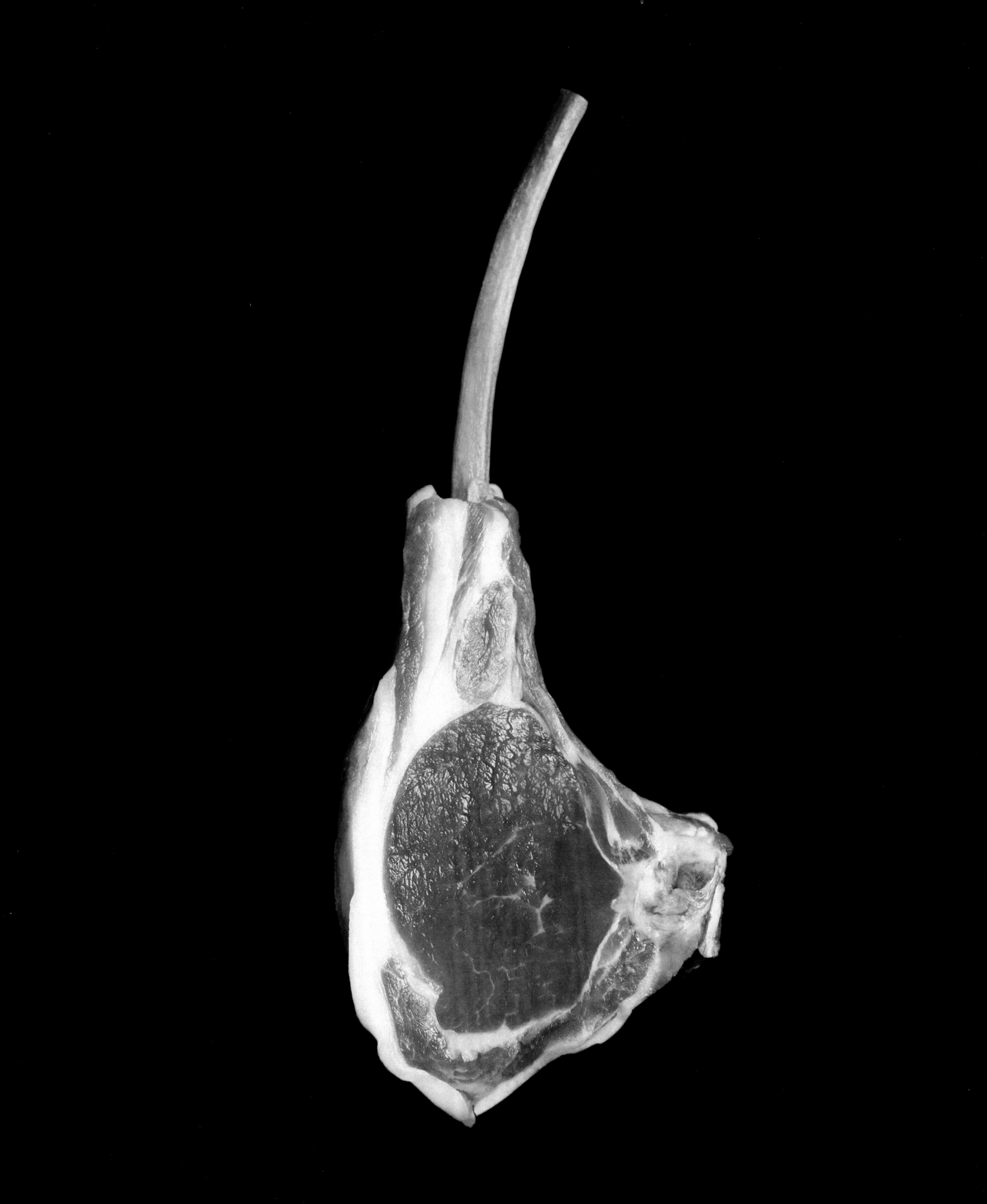

L'AGNEAU EST L'UN DES BEAUX PRODUITS DU QUÉBEC ET LE SEUL AVEC UNE APPELLATION CONTRÔLÉE. ON COMMANDE L'AGNEAU ENTIER ET ON LE DÉPÈCE NOUS-MÊMES EN GIGOT, EN CARRÉS, EN JARRETS, ETC. ET, NON, ÇA NE GOÛTE PAS LA LAINE!

TYPE DE PLAT entrée
PORTIONS 4
PRÉPARATION 30 min
REPOS 4 h
CUISSON 20 min
À BOIRE Afrique du Sud, pinotage

--- recette de Mathieu ---

CARRÉ D'AGNEAU À LA GELÉE DE MENTHE POUR MA MÈRE

4 carrés d'agneau du Québec
2 c. à café d'huile d'olive
3 gousses d'ail entières, pelées
3 branches de thym
1 c. à soupe de beurre non salé
Sel et poivre noir frais moulu

GELÉE DE MENTHE
100 g (½ tasse) de sucre
1,125 litre (4 ½ tasses) d'eau froide
4 feuilles de gélatine
1 botte de menthe, effeuillée

Pour préparer la gelée de menthe, verser le sucre et 125 ml (½ tasse) d'eau dans une casserole. Pour obtenir un sirop, porter à ébullition et retirer du feu dès que le liquide bouillonne. Transférer la moitié du sirop dans un bol et réfrigérer.

Faire tremper les feuilles de gélatine dans le reste de l'eau froide pendant 5 minutes. Égoutter les feuilles et les ajouter au sirop dans la casserole. Dissoudre la gélatine et laisser le tout tiédir à température ambiante.

À l'aide d'un pied-mélangeur, broyer les feuilles de menthe dans le sirop froid. Passer dans un filtre à café, puis combiner au mélange de sirop et de gélatine. Réfrigérer environ 4 heures ou jusqu'à ce que la gelée fige.

Préchauffer le four à 200 °C (400 °F).

Parer et assaisonner les carrés. Dans une poêle, saisir les carrés dans l'huile d'olive chaude. Quand ils sont bien colorés, ajouter l'ail, le thym et le beurre. Enfourner et cuire 10 minutes (la cuisson peut varier de 1 ou 2 minutes selon la grosseur de la pièce de viande, mais celle-ci doit être rosée). Retirer du four et laisser reposer 5 minutes.

Servir avec la gelée de menthe.

--- Note du chef ---

La gelée de menthe, c'est un clin d'œil à ma mère. Vous pouvez la remplacer par une sauce à l'ail confit, si vous préférez.

Ce que Mathieu ne dit pas, c'est que la gelée de menthe de sa mère a aussi été la cause d'une chicane !

--- JP

TYPE DE PLAT entrée
PORTIONS 4
PRÉPARATION 20 min
CUISSON 2 h 30
À BOIRE Crozes-hermitage, syrah

--- recette de Jean-Philippe ---

PARMENTIER D'AGNEAU

1 épaule d'agneau entière de 1,2 kg (2 2/3 lb)

2 c. à soupe d'huile d'olive

2 grosses carottes, pelées et coupées en petits dés

2 gros oignons, en petits dés

3 branches de céleri, en petits dés

500 ml (2 tasses) de vin rouge sec

1,5 litre (6 tasses) de fond brun de veau (voir p. 235)

Sel et poivre noir frais moulu

PURÉE DE POMMES DE TERRE

5 grosses pommes de terre à chair jaune, pelées et coupées en quartiers

250 ml (1 tasse) de crème 35 %, chaude

100 g (½ tasse) de beurre

Sel et poivre noir frais moulu

Préchauffer le four à 160 °C (325 °F).

Dans une cocotte à feu vif, saisir l'épaule dans l'huile chaude sur tous les côtés. Ajouter les légumes de la mirepoix (carottes, oignons et céleri). Faire suer pendant 2 minutes. Déglacer avec le vin rouge, puis mouiller avec le fond brun de veau. Assaisonner. Cuire au four pendant 2 heures.

Entre-temps, cuire les pommes de terre dans une casserole d'eau salée. Égoutter et faire une purée en utilisant, de préférence, le presse-purée. Incorporer la crème chaude et le beurre. Assaisonner et réserver.

Retirer l'agneau de la cocotte et passer le jus de cuisson au tamis fin (jeter les légumes). À feu vif, réduire le jus de moitié pour obtenir une sauce. Effilocher la viande d'agneau.

Dans un emporte-pièce posé dans une assiette de service, déposer l'agneau effiloché et ajouter assez de sauce pour mouiller. Recouvrir de purée. Verser de la sauce autour et retirer l'emporte-pièce. Servir aussitôt.

--- Note du chef ---

Si vous voulez, vous pouvez remplacer l'agneau par de la queue de bœuf.

ÇA ME RAPPELLE LE PÂTÉ CHINOIS QUE MON PÈRE ME FAISAIT. LUI AUSSI OUBLIAIT DE METTRE LE BLÉ D'INDE! --- M

TYPE DE PLAT principal
PORTIONS 4
PRÉPARATION 30 min
CUISSON 3 h 30
À BOIRE Italie, barbera d'asti

--- recette de Mathieu ---

JARRET D'AGNEAU À L'AIL CONFIT, POLENTA CRÉMEUSE AU CITRON

4 jarrets d'agneau
d'environ 300 g (2/3 lb) chacun

2 c. à soupe d'huile d'olive

60 ml (1/4 tasse) de porto rouge

1 oignon, émincé grossièrement

2 carottes, pelées
et émincées grossièrement

2 branches de céleri,
émincées grossièrement

2 gousses d'ail, pelées

3 branches de romarin

3 litres (12 tasses) de fond d'agneau
(ou fond brun de veau, voir p. 235)

1 c. à soupe de beurre

2 gousses d'ail confit (voir p. 136)

2 tomates italiennes,
épépinées et coupées en brunoise

Sel et poivre noir frais moulu

POLENTA CRÉMEUSE AU CITRON

160 g (1 tasse) de farine granulée
de maïs (semoule à polenta)

500 ml (2 tasses) de fond d'agneau
(ou fond brun de veau, voir p. 235)

125 ml (1/2 tasse) de crème à cuisson 35 %

Le zeste de 2 citrons

1 branche de romarin, hachée

Préchauffer le four à 180 °C (350 °F).

Assaisonner les jarrets. Dans une poêle à feu moyen élevé, chauffer l'huile d'olive et y saisir les jarrets. Déglacer avec le porto. Transférer dans une cocotte avec l'oignon, les carottes, le céleri, l'ail, le romarin et le fond d'agneau (ou de veau). Amener à ébullition. Couvrir et enfourner pendant 3 heures.

Dans une casserole à fond épais, à feu doux, combiner la semoule de maïs et la moitié du fond d'agneau (ou de veau). Remuer à l'aide d'une cuillère de bois. Ajouter le reste du fond petit à petit. Cuire 20 minutes. Ajouter la crème en remuant bien. Relever de zestes de citron et de romarin.

Retirer les jarrets d'agneau de la cocotte et les réserver. Passer le jus de cuisson dans un tamis fin, remettre dans la cocotte et faire réduire à feu vif jusqu'à l'obtention de 500 ml (2 tasses) de liquide. Entre-temps, dans une grande casserole, faire suer les oignons cipollinis dans le beurre chaud pendant 3 minutes. Ajouter l'ail confit, les tomates, les jarrets réservés et le jus réduit. Remettre au four 5 minutes pour laquer la viande.

Servir avec la polenta.

--- Note du chef ---

Des asperges ou des pois mange-tout seraient délicieux en accompagnement.

De la polenta? De la farine avec de l'eau, pour moi, c'est de la colle. Je remplacerais par un beau risotto aux champignons.

--- JP

TYPE DE PLAT principal
PORTIONS 4
PRÉPARATION 20 min
CUISSON 2 h 30
À BOIRE Côtes de Provence, carignan, grenache

--- recette de Jean-Philippe ---

CARRÉS D'ÉPAULE D'AGNEAU BRAISÉS À LA TOMATE, ORZO AUX OLIVES ET AUX TOMATES SÉCHÉES

4 carrés d'épaule d'agneau
2 c. à soupe d'huile d'olive
2 grosses carottes, pelées et coupées en petits dés
2 gros oignons, en petits dés
3 branches de céleri, en petits dés
4 gousses d'ail entières
2 feuilles de laurier
500 ml (2 tasses) de vin blanc sec
1,5 litre (6 tasses) de fond brun de veau (voir p. 235)
1 boîte (540 ml) de tomates italiennes entières
Sel et poivre noir frais moulu

ORZO AUX OLIVES ET AUX TOMATES SÉCHÉES
1 paquet (300 g) d'orzo
2 c. à soupe d'huile d'olive
250 ml (1 tasse) d'olives Kalamata dénoyautées, coupées en deux
100 g (1 ¾ tasse) de tomates séchées dans l'huile, en brunoise
½ botte de basilic, ciselée
2 c. à soupe de beurre
2 c. à soupe de parmesan, râpé

Préchauffer le four à 160 °C (325 °F).

Dans une cocotte à feu vif, saisir les carrés sur tous les côtés dans l'huile chaude. Ajouter les légumes de la mirepoix (carottes, oignons et céleri), l'ail et le laurier. Faire suer pendant 2 minutes. Déglacer avec le vin blanc. Mouiller avec le fond brun de veau et ajouter les tomates dans leur jus. Assaisonner et enfourner pendant 2 heures.

Vers la fin de la cuisson de l'agneau, commencer la préparation de l'orzo. Dans une casserole d'eau bouillante salée, cuire les pâtes al dente (voir les instructions sur l'emballage). Égoutter, enrober d'huile et réserver.

Retirer l'agneau et les tomates de la cocotte, en les réservant séparément. Passer le jus de cuisson au chinois ou au tamis fin (jeter les légumes). Remettre le jus et les tomates dans la cocotte et faire réduire le jus de moitié pour obtenir une sauce. Au besoin, remettre les carrés dans la cocotte pour les réchauffer.

Combiner tous les ingrédients de l'orzo et servir avec les carrés.

--- Note du chef ---

Il n'y a aucune raison de ne pas essayer la recette en remplaçant l'épaule par des jarrets d'agneau. C'est tout aussi bon!

ON N'A PAS TOUJOURS TRIPPÉ ASPERGE, MAIS DEPUIS QU'ON A DÉCOUVERT LA FERME SUBLIME ASPERGE, LE PRINTEMPS N'ARRIVE JAMAIS ASSEZ VITE! ON L'AIME SURTOUT CRUE EN SALADE OU À PEINE BLANCHIE POUR QU'ELLE GARDE SON CROQUANT.

TYPE DE PLAT entrée
PORTIONS 4
PRÉPARATION 15 min
CUISSON 30 min
REPOS 30 min
À BOIRE Loire, sauvignon

--- recette de Jean-Philippe ---

SOUPE FROIDE D'ASPERGES AVEC CRABE ET JAMBON

2 bottes d'asperges vertes, le bout cassé
3 pommes de terre à chair jaune, pelées et coupées en cubes
1 oignon, haché
1 blanc de poireau, lavé et haché
2 gousses d'ail
2 c. à soupe de beurre
1 branche de thym
1 feuille de laurier
1 litre (4 tasses) de fond de volaille (voir p. 234)
250 ml (1 tasse) de crème 35 %
Sel et poivre noir frais moulu

SALADE DE CRABE ET DE JAMBON
100 g (¼ lb) de chair de crabe fraîche
100 g (¼ lb) de jambon blanc, en brunoise
60 ml (¼ tasse) de mayonnaise (voir p. 235)
½ botte de ciboulette, ciselée
2 échalotes, ciselées
Sel et poivre noir frais moulu

Préparer un bol d'eau glacée. Dans une casserole d'eau bouillante salée, faire blanchir les asperges 30 secondes, puis les transférer immédiatement dans l'eau glacée pour arrêter la cuisson.

Dans une casserole à feu doux, faire suer les pommes de terre, l'oignon, le poireau et l'ail dans le beurre chaud pendant 3 minutes. Ajouter les aromates et le fond de volaille et cuire 25 minutes à feu doux. Réduire en crème au mélangeur et refroidir au réfrigérateur pendant 30 minutes.

Ajouter les asperges à la soupe refroidie et passer de nouveau au mélangeur jusqu'à consistance lisse et homogène. Incorporer la crème, puis assaisonner au goût. Verser dans des bols à soupe individuels.

Dans un grand bol, combiner tous les ingrédients de la salade. Façonner en quatre quenelles et en garnir les soupes. Si désiré, servir avec des croûtons de pain.

--- Note du chef ---

Si vous voulez que vos asperges conservent leur beau vert éclatant, c'est primordial de les laisser refroidir avant de les réduire au mélangeur.

JP EST TROP CHEAP POUR METTRE JUSTE DU CRABE DANS SA SALADE. C'EST POUR ÇA QU'IL MET AUSSI DU JAMBON. MAIS VOUS N'ÊTES PAS OBLIGÉ DE FAIRE PAREIL. --- M

TYPE DE PLAT entrée
PORTIONS 4
PRÉPARATION 30 min
CUISSON 30 min
À BOIRE Estrie (Québec), chardonnay

--- recette de Mathieu ---

SALADE D'ASPERGES GRILLÉES, ŒUF POCHÉ, ROQUETTE ET PARMESAN

40 asperges, le bout cassé
2 c. à café d'huile d'olive
1 litre (4 tasses) d'eau
1 c. à soupe de gros sel
4 œufs
2 c. à soupe de vinaigre blanc
60 ml (¼ tasse) de vinaigre balsamique
3 c. à soupe de sucre
8 oignons cipollinis, pelés
2 gousses d'ail, pelées
2 feuilles de laurier
2 branches de thym
60 ml (¼ tasse) d'huile de noix
1 barquette de roquette
100 g (1 tasse) de parmesan, en copeaux
Sel et poivre noir frais moulu

Préchauffer le gril ou le barbecue.

Dans un grand bol, enrober les asperges d'huile d'olive, saler et poivrer. Griller 1 minute de chaque côté à feu vif.

Dans une grande casserole, amener à ébullition l'eau et le gros sel. Préparer un bol d'eau glacée. Casser les 4 œufs dans 4 petits contenants. Verser le quart du vinaigre blanc sur chaque œuf. Remuer l'eau bouillante avec une cuillère pour créer un léger tourbillon et verser délicatement les œufs, un par un. Cuire 3 ½ minutes à feu moyen. Retirer les œufs avec une écumoire et les plonger dans l'eau glacée pour arrêter la cuisson.

Dans une casserole, amener à ébullition le vinaigre balsamique, le sucre, les cipollinis, l'ail, le laurier et le thym. Cuire 15 minutes à feu doux. Retirer les oignons et les réserver. À l'aide d'un tamis fin, passer et verser le liquide dans une autre casserole. À feu vif, réduire jusqu'à consistance sirupeuse. Tiédir à température ambiante.

Monter une vinaigrette en fouettant vigoureusement le sirop de balsamique tiède et l'huile de noix. Dans un grand bol, combiner la roquette, les asperges et les cipollinis, puis napper de vinaigrette et assaisonner.

Disposer la salade dans les assiettes et décorer de copeaux de parmesan.

--- Note du chef ---

Vous pouvez pocher vos œufs à l'avance. Plongez-les dans l'eau glacée pour arrêter la cuisson et réchauffez-les une fois que les garnitures sont prêtes.

Moi, j'ajouterais un beau morceau de vivaneau, de volaille grillée ou même un restant de poulet froid là-dessus. ---jp

Kitchen Galerie
SEXY

TYPE DE PLAT principal
PORTIONS 4
PRÉPARATION 20 min
CUISSON 2 h à 2 h 30
REPOS 30 min
À BOIRE Napa Valley, chenin

--- recette de Jean-Philippe ---

SALADE D'ASPERGES ET DE PIEUVRE AUX AGRUMES

1 pieuvre t4 entière
60 ml (¼ tasse) d'huile d'olive
2 grosses carottes, pelées et coupées en petits dés
2 gros oignons, en petits dés
3 branches de céleri, en petits dés
500 ml (2 tasses) de vin blanc
2 gousses d'ail entières
2 feuilles de laurier
1 branche de thym
Fleur de sel, au goût
3 litres (12 tasses) d'eau
Sel et poivre noir frais moulu

ASPERGES AUX AGRUMES
4 bottes d'asperges vertes, le bout cassé
60 ml (¼ tasse) d'huile d'olive
4 gouttes de sauce Tabasco
1 échalote, ciselée
½ botte de ciboulette, ciselée
2 oranges (sanguines si possible), en suprêmes
1 citron vert, en suprêmes
1 citron, en suprêmes
½ barquette de tomates cerises, coupées en deux
Sel et poivre noir frais moulu

Dans une grande casserole d'eau froide, déposer la pieuvre et amener à ébullition. Pendant ce temps, préparer un grand bol d'eau glacée. Dès que l'eau bout, retirer la pieuvre et la plonger dans l'eau glacée.

Dans une casserole, faire chauffer la moitié de l'huile d'olive et y faire suer les légumes de la mirepoix (carottes, oignons et céleri). Déglacer au vin blanc et ajouter les aromates. Ajouter l'eau. Saler et poivrer. Déposer la pieuvre dans le court-bouillon et cuire à feu doux pendant au moins 1½ heure à 2 heures ou jusqu'à tendreté. Retirer la pieuvre du liquide et laisser refroidir à température ambiante.

Préchauffer le barbecue à feu élevé. Couper et jeter le corps de la pieuvre ; garder les tentacules entiers. Badigeonner les tentacules du reste d'huile d'olive et les griller sur le barbecue 2 minutes de chaque côté. Assaisonner de fleur de sel et de poivre.

Préparer un bol d'eau glacée. Dans une casserole d'eau bouillante salée, faire blanchir les asperges pendant 2 minutes, puis les transférer immédiatement dans l'eau glacée. Faire une vinaigrette en émulsionnant ensemble l'huile d'olive, la sauce Tabasco, l'échalote et la ciboulette. Saler et poivrer. Combiner les asperges, les suprêmes d'agrumes et les tomates cerises dans un saladier, puis napper de vinaigrette. Réserver.

Déposer la salade d'asperges et d'agrumes dans les assiettes, placer les tentacules de pieuvre par-dessus et servir.

--- Note du chef ---

Choisissez une pieuvre marocaine ou tunisienne, elles sont tellement plus tendres ! Et pour la tendreté, le temps de cuisson est très important. Si votre pieuvre n'est pas assez cuite, elle va être caoutchouteuse !

JP DÉTESTE LES PAMPLEMOUSSES, ALORS IL N'EN A PAS MIS DANS SA RECETTE. SELON MOI, CE SERAIT BIEN MEILLEUR QU'AVEC DU CITRON VERT. ET COMME JE SAIS QUE ÇA LE DÉRANGERAIT VRAIMENT, J'AIME ENCORE PLUS L'IDÉE. --- M

POINTS
BEST

TYPE DE PLAT accompagnement
PORTIONS 4
PRÉPARATION 10 min
CUISSON 5 min
À BOIRE Languedoc, sauvignon

--- recette de Mathieu ---

ASPERGES AU ZESTE DE CITRON ET AU BASILIC

40 asperges, le bout cassé
2 c. à soupe de beurre
Le jus et le zeste de 2 citrons
1 échalote, pelée et ciselée
1 gousse d'ail, hachée
3 feuilles de basilic frais, ciselées
Sel et poivre noir frais moulu

Préparer un bol d'eau glacée. Dans une casserole d'eau bouillante salée, blanchir les asperges pendant 3 minutes, puis les transférer immédiatement dans l'eau glacée pour arrêter la cuisson. Dans une poêle tiède, faire mousser le beurre. Ajouter les asperges, le jus et le zeste de citron, l'échalote et l'ail. Cuire 2 minutes.

Assaisonner, ajouter le basilic et servir.

--- Note du chef ---

Au Kitchen Galerie, on sert généralement cet accompagnement avec un poisson à chair blanche comme le cardeau ou la sole. Vous pouvez aussi le servir avec un osso buco, un porc braisé ou simplement du saumon fumé. Assurez-vous de couper le basilic avec un couteau bien aiguisé, sinon il noircit et c'est tellement moins agréable !

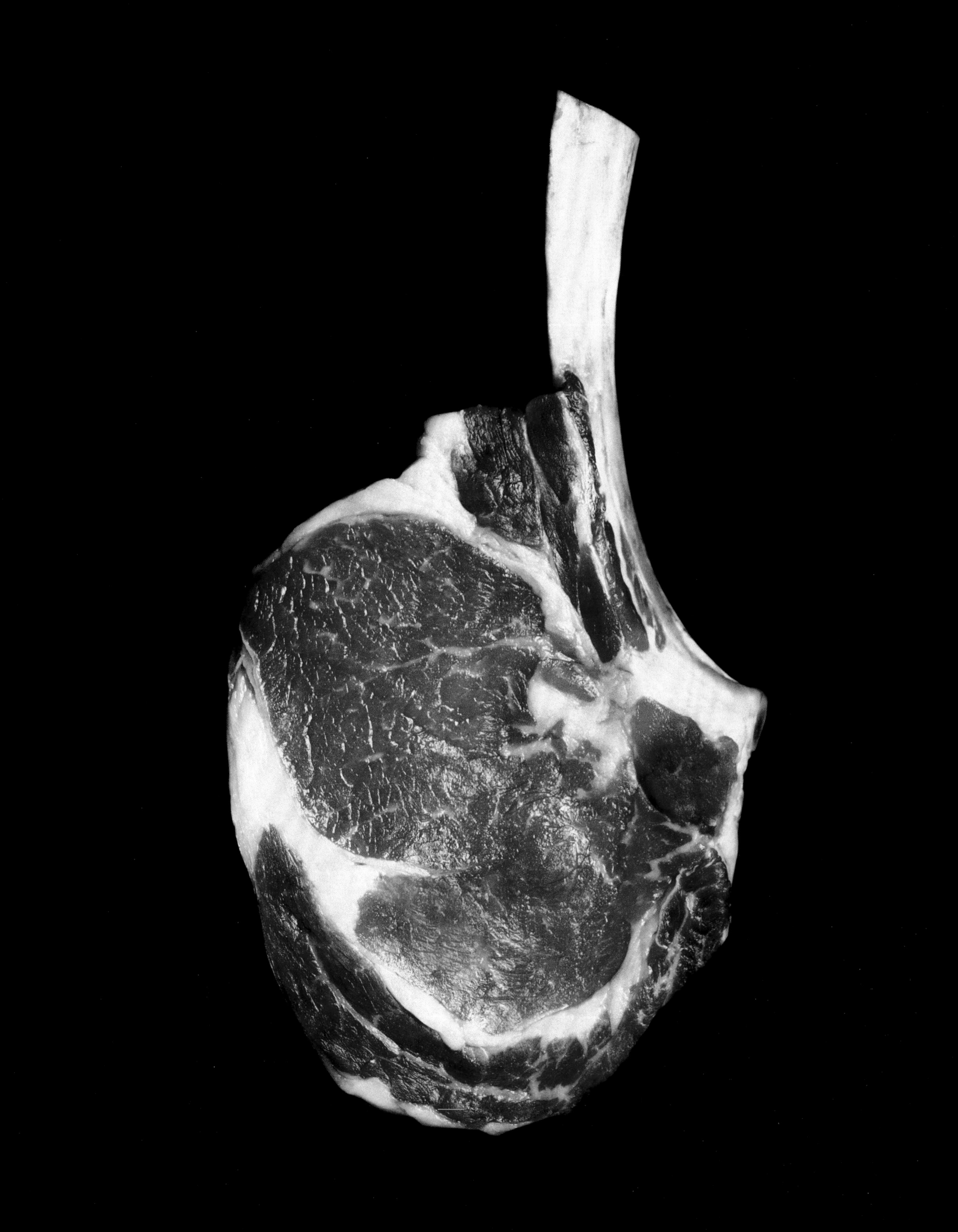

LA CÔTE DE BŒUF, C'EST LE GRAND CLASSIQUE DU KITCHEN ET NOTRE PLAT FÉTICHE. ON NE POUVAIT PAS PASSER À CÔTÉ DU BŒUF DE TOUTE FAÇON, UN ALIMENT DE BASE AU QUÉBEC QUI VA DES BOULETTES AU PAIN DE VIANDE EN PASSANT PAR LE STEAK MINUTE.

TYPE DE PLAT entrée
PORTIONS 4
PRÉPARATION 10 min
À BOIRE Australie, syrah

--- recette de Jean-Philippe ---

TARTARE DE BŒUF COMME DANS LE TEMPS DE CHEZ ROGER

600 g (1 1/3 lb) de steak boston, haché finement au couteau
2 c. à soupe de moutarde de Dijon
2 c. à soupe de câpres, hachées finement
1 c. à soupe de cornichons, hachés
½ botte de ciboulette, ciselée
2 échalotes, ciselées
Quelques gouttes d'huile de truffe
Quelques gouttes de sauce Tabasco
4 jaunes d'œufs
Sel et poivre noir frais moulu

Dans un grand bol, mélanger tous les ingrédients sauf les jaunes d'œufs. Diviser le tout dans quatre bols individuels et accompagner de croûtons.

Au service, poser un jaune d'œuf sur chaque tartare et mélanger devant les convives.

--- Note du chef ---

Avant de commencer, mettez vos culs-de-poule et vos planches de travail au frigo pendant 15 minutes. Comme ça, le tartare restera froid pendant que vous le travaillerez et vous n'empoisonnerez personne!

COMME C'EST LE TARTARE DU TEMPS OÙ ON ÉTAIT CHEZ ROGER, EST-CE QU'IL EST ENCORE AUSSI BON DEPUIS QU'ON EST PARTI? --- M

TYPE DE PLAT entrée
PORTIONS 4
PRÉPARATION 30 min
CUISSON 10 min
REPOS 1 h
À BOIRE Californie, roussanne

--- recette de Mathieu ---

TATAKI DE BŒUF, CRÈME MONTÉE À LA CORIANDRE ET GELÉE AU YUZU

TATAKI DE BŒUF SAISI
200 g (7 oz) de bœuf (contre-filet)
1 c. à café de gingembre moulu
1 c. à café de poudre d'ail
1 c. à café de cumin moulu
1 c. à café de poudre de sel de céleri
5 c. à café de paprika
Sel et poivre noir frais moulu

GELÉE AU YUZU
125 ml (½ tasse) de jus de yuzu (ou de jus d'orange)
1 c. à café de sucre
1 feuille de gélatine
250 ml (1 tasse) d'eau froide

CRÈME MONTÉE À LA CORIANDRE
125 ml (½ tasse) de crème 35 %
10 branches de coriandre, émincées
Sel et poivre noir frais moulu

Tataki de bœuf : Mélanger tous les aromates dans un bol et enrober le bœuf de ce mélange. Dans une casserole à feu moyen, saisir de chaque côté (le milieu doit rester cru). Laisser refroidir au réfrigérateur pendant 1 heure.

Gelée au yuzu : Dans une casserole, chauffer le jus et le sucre. Faire tremper la feuille de gélatine dans l'eau froide pendant 5 minutes. Égoutter et ajouter la feuille au sirop de yuzu. Faire dissoudre et réfrigérer environ 1 heure ou jusqu'à ce que le mélange fige.

Crème à la coriandre : Juste avant de servir, fouetter la crème, puis ajouter la coriandre, le sel et le poivre.

Dresser les assiettes et servir sans tarder.

--- Note du chef ---

Le yuzu a un goût très puissant. Ceux qui aiment moins le côté acidulé peuvent le remplacer par du jus d'orange.

Personnellement, j'aimerais mieux essayer ça avec du thon frais. --- jp

SORTIE

TYPE DE PLAT principal
PORTIONS 2
PRÉPARATION 30 min
CUISSON 1 h
REPOS 10 min
À BOIRE Bordeaux, cabernet-merlot, petit verdot

--- recette de Jean-Philippe ---

CÔTE DE BŒUF, VRAIE PURÉE DU KITCHEN GALERIE, POÊLÉE DE LÉGUMES-RACINES

1 côte de bœuf AAA de 1 kg (2 lb) (la meilleure qualité possible)
3 c. à soupe d'huile d'olive
3 c. à soupe de beurre
2 gousses d'ail
2 branches de thym
1 branche de romarin

SAUCE VIN ROUGE ET ESTRAGON
2 c. à soupe d'huile d'olive
60 ml (¼ tasse) de beurre
1 grosse carotte, pelée et coupée en dés très fins
1 gros oignon, coupé en dés très fins
2 branches de céleri, coupées en dés très fins
250 ml (1 tasse) de vin rouge sec
500 ml (2 tasses) de fond brun de veau (voir p. 235)
½ botte d'estragon, ciselée

VRAIE PURÉE DU KITCHEN GALERIE
1 kg (2 lb) de pommes de terre à chair jaune, pelées et coupées en cubes
250 ml (1 tasse) de crème 35 %
2 branches de romarin
450 g (1 lb) de beurre, en cubes
Sel et poivre noir frais moulu

POÊLÉE DE LÉGUMES-RACINES
2 fines carottes jaunes, coupées en deux sur la longueur (si nécessaire)
2 fines carottes orange, coupées en deux sur la longueur (si nécessaire)
1 grosse betterave jaune, cuite et coupée en quartiers
2 panais
50 g (¼ tasse) de beurre
100 g (¼ lb) de haricots verts, équeutés
1 échalote, émincée
Quelques tiges de ciboulette, hachées
Sel et poivre noir frais moulu

Préchauffer le four à 200 °C (400 °F).

Dans une grande poêle à feu vif, saisir la côte de bœuf dans l'huile chaude 3 ou 4 minutes de chaque côté. Incorporer le beurre et les aromates, puis cuire au four pendant 22 minutes à découvert pour une cuisson médium saignant. Arroser souvent du jus de cuisson. Retirer la viande de la poêle et laisser reposer au moins 10 minutes.

Sauce: Dans la poêle ayant servi à cuire le bœuf, faire chauffer l'huile d'olive et la moitié du beurre à feu doux. Y faire suer les légumes de la mirepoix (carotte, oignon et céleri) pendant 2 minutes. Déglacer avec le vin rouge et, à feu vif, faire réduire de moitié. Ajouter le fond brun de veau et l'estragon, puis réduire encore de moitié. Passer le tout au chinois ou au tamis fin et remettre le liquide dans la casserole. Ajouter le reste du beurre et fouetter pour obtenir une sauce lisse et onctueuse. Réserver au chaud.

Purée: Entre-temps, dans une casserole d'eau salée, faire cuire les pommes de terre jusqu'à tendreté. Simultanément, dans une petite casserole, amener la crème à ébullition, retirer du feu aussitôt qu'elle bout, ajouter les branches de romarin et faire infuser pendant 10 minutes. Égoutter les pommes de terre, les écraser au presse-purée et transférer le tout dans un bol. Retirer et jeter les branches de romarin, puis verser la crème sur les pommes de terre. Ajouter le beurre et bien mélanger. Saler et poivrer au goût. Réserver au chaud.

Poêlée: Dans une poêle à feu moyen, faire sauter tous les légumes-racines (carottes, betterave, panais) pendant 5 à 10 minutes dans le beurre chaud. Vers la fin de la cuisson, ajouter les haricots, l'échalote et la ciboulette, puis cuire jusqu'à ce que les haricots soient tendres, mais encore un peu croquants. Assaisonner au goût.

Avant de servir, préchauffer le four à 180 °C (350 °F). Y réchauffer la côte de bœuf pendant 5 minutes. Trancher la viande. Servir, nappée de sauce et accompagnée de purée et de légumes-racines.

--- Note du chef ---

Ici, le temps de repos est très important. Ça permet au sang de retourner dans la chair.

VENEZ DONC LA MANGER AU RESTO. ELLE SERA TOUJOURS MEILLEURE CHEZ NOUS!

--- M

TYPE DE PLAT principal
PORTIONS 4
PRÉPARATION 1 h
CUISSON 4 h
À BOIRE Québec, microbrasserie, bière noire

--- recette de Mathieu ---

SHORT RIBS DE BŒUF À LA BIÈRE NOIRE

- 4 short ribs (côtes croisées) de bœuf de 300 g (10 oz) chacune
- 60 ml (¼ tasse) d'huile d'olive
- 1 bouteille (341 ml) de bière noire Boréale
- 50 g (¼ tasse) de sucre
- 4 litres (16 tasses) de fond brun de veau (voir p. 235)
- 1 oignon, émincé grossièrement
- 2 carottes, pelées et émincées grossièrement
- 2 branches de céleri, émincées grossièrement
- 2 gousses d'ail, pelées
- 3 branches de thym
- Sel et poivre noir frais moulu

Préchauffer le four à 190 °C (375 °F).

Parer et assaisonner la viande. Dans une poêle bien chaude, saisir les côtes croisées de chaque côté dans l'huile d'olive.

Dans une casserole à fond épais, faire bouillir la bière et le sucre. Ajouter le fond brun de veau et laisser mijoter 30 minutes.

Dans une cocotte, mettre les côtes croisées, le mélange de bière, l'oignon, les carottes, le céleri, l'ail et le thym. Cuire au four, à couvert, pendant 4 heures. Servir.

--- Note du chef ---

N'ayez surtout pas peur d'assaisonner généreusement. Comme le bœuf cuit dans son jus, il va perdre une partie de ses assaisonnements en cours de route. Alors, mettez-en!

J'aime mieux boire de la Guinness que de la Boréale noire, alors je la remplacerais aussi dans la recette.

---JP

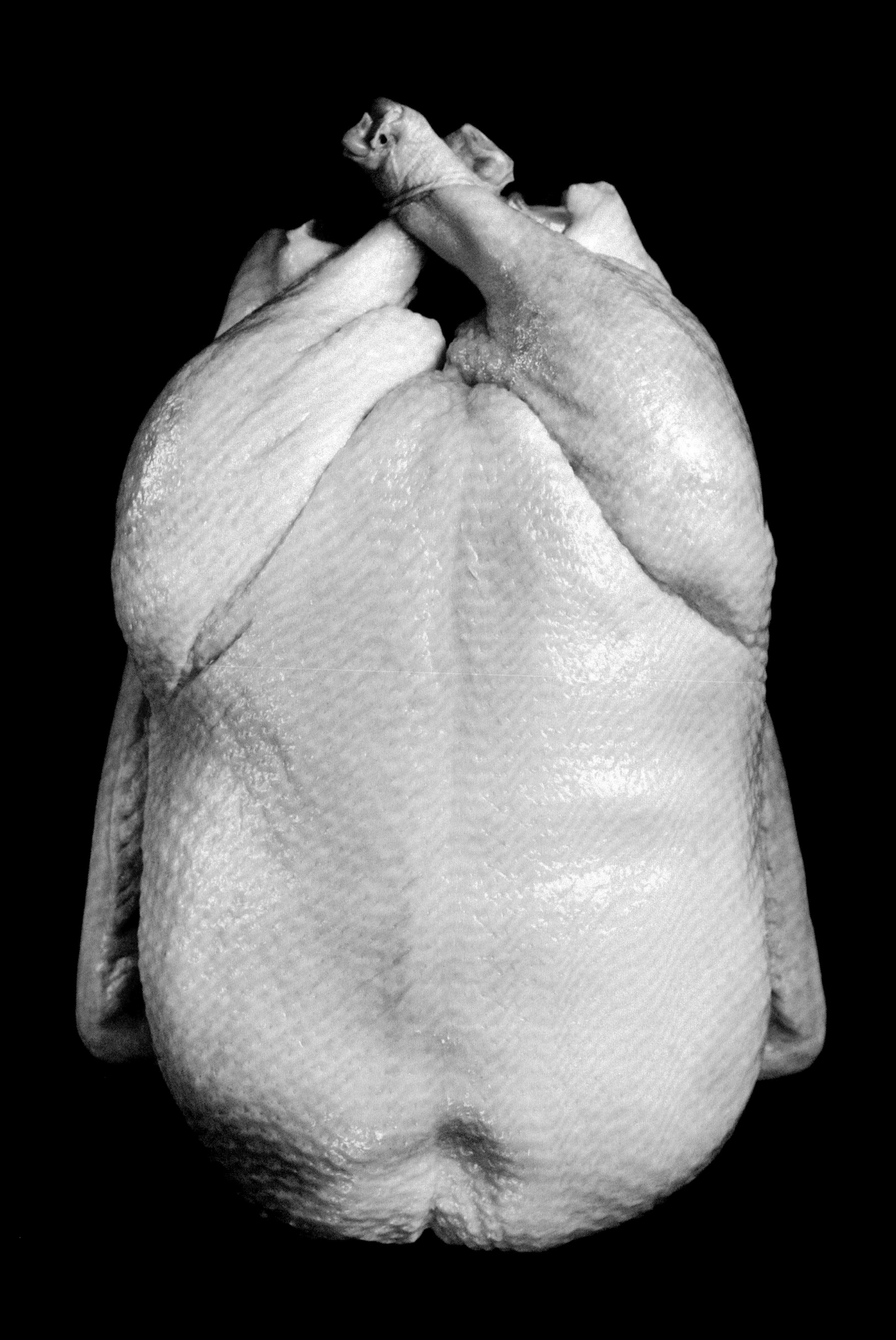

LE CANARD, C'EST COMME UN POULET AVEC DU *KICK*, **UNE VOLAILLE NOBLE QU'ON A DU *FUN* À TRAVAILLER DE L'ENTRÉE AU PLAT PRINCIPAL.** CHEZ KITCHEN, ON UTILISE TOUTES LES COUPES DU CANARD ET, AVEC LA CARCASSE, ON FAIT DE BEAUX FONDS.

TYPE DE PLAT entrée
PORTIONS 4
PRÉPARATION 20 min
CUISSON 3 h 30
REPOS 24 h
À BOIRE Bourgueil, cabernet

--- Recette de Mathieu ---

RILLETTES DE CANARD AU SAMBAL ŒLEK

400 g (2 tasses) de sucre
800 g (3 tasses) de gros sel
4 gousses d'ail, pelées
1 bulbe de gingembre, pelé et coupé grossièrement
3 branches de persil
3 branches de thym
3 tiges de ciboulette, ciselées
4 cuisses de canard
1 litre (4 tasses) de gras de canard
1 échalote, ciselée
2 gousses d'ail, rôties (voir la technique à la p. 99)
10 tiges de ciboulette, ciselées
1 branche de thym, effeuillée
3 feuilles de basilic frais, ciselées
½ c. à café de sambal œlek (sauce aux piments forts)

Dans un robot culinaire, combiner le sucre, le gros sel, l'ail, le gingembre, le persil, le thym et la ciboulette. Réduire en pâte pendant 2 minutes. Enrober les cuisses de canard de ce mélange. Laisser reposer 12 heures au réfrigérateur.

Préchauffer le four à 160 °C (325 °F).

Après 12 heures, rincer les cuisses à l'eau froide et assécher à l'aide de papier absorbant. Dans une grande casserole, faire fondre le gras de canard à feu doux. Y déposer les cuisses en recouvrant bien du gras. Confire au four, à couvert, pendant 3 ½ heures.

Retirer les cuisses et passer le gras au tamis. Réserver 60 ml (¼ tasse). (Congeler le reste de gras de canard pour utilisation ultérieure.) Désosser les cuisses et enlever la peau. Dans un bol, mélanger la chair de canard, l'échalote, l'ail rôti, la ciboulette, la branche de thym, les feuilles de basilic, le sambal œlek et le gras de canard réservé. Verser dans une terrine carrée d'environ 5 x 5 x 10 cm (2 x 2 x 4 po), en pressant bien. Laisser reposer au réfrigérateur 12 heures.

Trancher et servir.

--- Note du chef ---

Le canard est un produit vraiment polyvalent. Changez les garnitures selon vos goûts. Ce serait très bon avec de l'orange ou des herbes, la sauge par exemple.

TYPE DE PLAT entrée
PORTIONS 4
PRÉPARATION 15 min
CUISSON 5 min
À BOIRE Arbois, chardonnay

--- recette de Jean-Philippe ---

CARPACCIO DE CANARD ET RABIOLES, VINAIGRETTE AU MIEL ET AU XÉRÈS

1 magret de canard de 450 g (1 lb)
2 c. à soupe d'huile d'olive
4 belles rabioles (navet blanc), tranchées finement à la mandoline
1 branche de romarin, hachée
Fleur de sel et poivre noir frais moulu

VINAIGRETTE AU MIEL ET AU XÉRÈS
2 c. à soupe de miel
2 c. à soupe de vinaigre de xérès
150 ml (2/3 tasse) d'huile végétale
2 c. à soupe d'huile de noix
Sel et poivre noir frais moulu

Parer le magret. Assaisonner et saisir sur tous les côtés dans une casserole, dans l'huile très chaude, en prenant soin de garder le centre cru. Réserver.

Préparer un bol d'eau glacée. Dans une casserole d'eau bouillante salée, blanchir les tranches de rabiole pendant 30 secondes. Les plonger immédiatement dans l'eau glacée pour arrêter la cuisson. Réserver.

Dans un cul-de-poule préparer la vinaigrette en combinant le miel, le vinaigre, le sel et le poivre. Émulsionner au pied-mélangeur, puis incorporer graduellement les huiles en fin filet.

Trancher les magrets le plus finement possible et en tapisser une assiette de service. Recouvrir complètement des tranches de rabioles. Napper de vinaigrette, assaisonner de fleur de sel et de poivre, puis garnir de romarin. Servir aussitôt.

--- Note du chef ---

Pour varier, remplacez les rabioles par des betteraves jaunes et apprêtez-les exactement de la même façon.

AVEC UNE BELLE GRANDE TIGE DE ROMARIN. MERCI POUR LE FLASH-BACK DES ANNÉES 1980, JP! --- M

AT

TYPE DE PLAT principal
PORTIONS 4
PRÉPARATION 30 min
CUISSON 20 min
À BOIRE Côte de Bourg, merlot

--- recette de Mathieu ---

MAGRET DE CANARD *SUPER SIZE*

4 magrets de canard

6 champignons King Eringi, lavés et tranchés en lamelles de ½ cm (¼ po)

8 pommes de terre rattes, lavées et blanchies

10 choux de Bruxelles, effeuillés et blanchis 30 secondes

1 échalote, ciselée finement

60 ml (¼ tasse) de porto

1 litre (4 tasses) de fond brun de veau, réduit en demi-glace (voir p. 235)

450 g (1 lb) de foie gras, coupé en 4 tranches

20 lamelles de truffe

Sel et poivre noir frais moulu

Préchauffer le four à 200 °C (400 °F).

Parer le magret et faire des entailles dans le gras pour aider la cuisson. Déposer dans une poêle froide (pouvant aller au four) et faire fondre le gras à basse température. Augmenter la température au fur et à mesure de la cuisson. Verser le gras fondu dans une autre poêle. Enfourner le canard de 6 à 8 minutes. Retirer de la poêle et laisser reposer 5 minutes.

Entre-temps, chauffer la poêle avec le gras de canard. Y saisir les champignons, puis ajouter les pommes de terre. Cuire 5 minutes. Ajouter les feuilles de choux de Bruxelles et l'échalote, puis continuer la cuisson 1 minute maximum.

Retirer le gras de la poêle ayant servi à cuire le canard. Chauffer la poêle à feu élevé et déglacer avec le porto. Réduire à sec. Ajouter le fond réduit et laisser mijoter 5 minutes.

Dans une autre poêle, saisir les tranches de foie gras à feu vif, en ajustant la température pour obtenir une belle coloration. Cuire 2 minutes. Retirer le foie gras et ajouter le gras de cuisson à la sauce en fouettant, jusqu'à consistance lisse et homogène. Ajouter les truffes et assaisonner.

Dresser les assiettes et servir aussitôt.

--- Note du chef ---

Il faut absolument commencer la cuisson du canard dans une poêle froide et du côté gras. Comme ça, on s'assure que le gras fondra doucement et que la coloration se fera lentement. C'est le truc pour que ce soit bien croustillant. En saison, accompagnez le tout de têtes de violon sautées au beurre.

Pourquoi on a adopté le concept du super size au Kitchen? Ben, parce que c'est inspirant d'avoir un resto situé en face du McDo! ---jp

TYPE DE PLAT principal
PORTIONS 4
PRÉPARATION 30 min
CUISSON 1 h 45
À BOIRE Tsingtao (Chine), bière

--- recette de Jean-Philippe ---

DEMI-CANARD LAQUÉ DU LAC BROME, SALADE DE NOUILLES SOBA

2 canards du Lac Brome
180 ml (¾ tasse) de sauce soya
60 ml (¼ tasse) de sauce hoisin
60 ml (¼ tasse) de miel
1 c. à soupe de sambal œlek (sauce aux piments forts)
1 gousse d'ail, hachée finement
Pincée de poivre sichuanais, moulu

SALADE DE NOUILLES SOBA
1 paquet (300 g) de nouilles soba
1 carotte, pelée et coupée en julienne
1 concombre, en julienne
1 petite betterave crue, en julienne
2 oignons verts, coupés en biseau
½ botte de coriandre, ciselée
2 c. à soupe de gingembre frais, haché finement
1 c. à soupe d'huile de sésame
2 c. à soupe d'huile végétale
2 c. à soupe de sauce soya
2 c. à soupe de vinaigre de riz

Préchauffer le four à 230 °C (450 °F).

Déposer les canards tels quels sur une plaque et cuire au four pendant 15 minutes environ, jusqu'à coloration. (Vérifier à quelques reprises que les canards ne brûlent pas.) Pendant ce temps, combiner le reste des ingrédients pour obtenir une laque.

Réduire la température du four à 160 °C (325 °F). À l'aide d'un pinceau, badigeonner le canard de laque et remettre au four. Cuire pendant 1 ½ heure, en badigeonnant régulièrement aux 5 à 10 minutes.

Entre-temps, cuire les nouilles soba en suivant les instructions sur l'emballage. Laisser refroidir à température ambiante.

Dans un grand saladier, combiner les nouilles froides, la carotte, le concombre, la betterave, les oignons verts et la coriandre. Au fouet, émulsionner le reste des ingrédients pour obtenir une vinaigrette. Verser sur la salade en mélangeant bien, mais délicatement. Réserver à température ambiante.

Couper les canards en deux et servir avec la salade de nouilles soba froide.

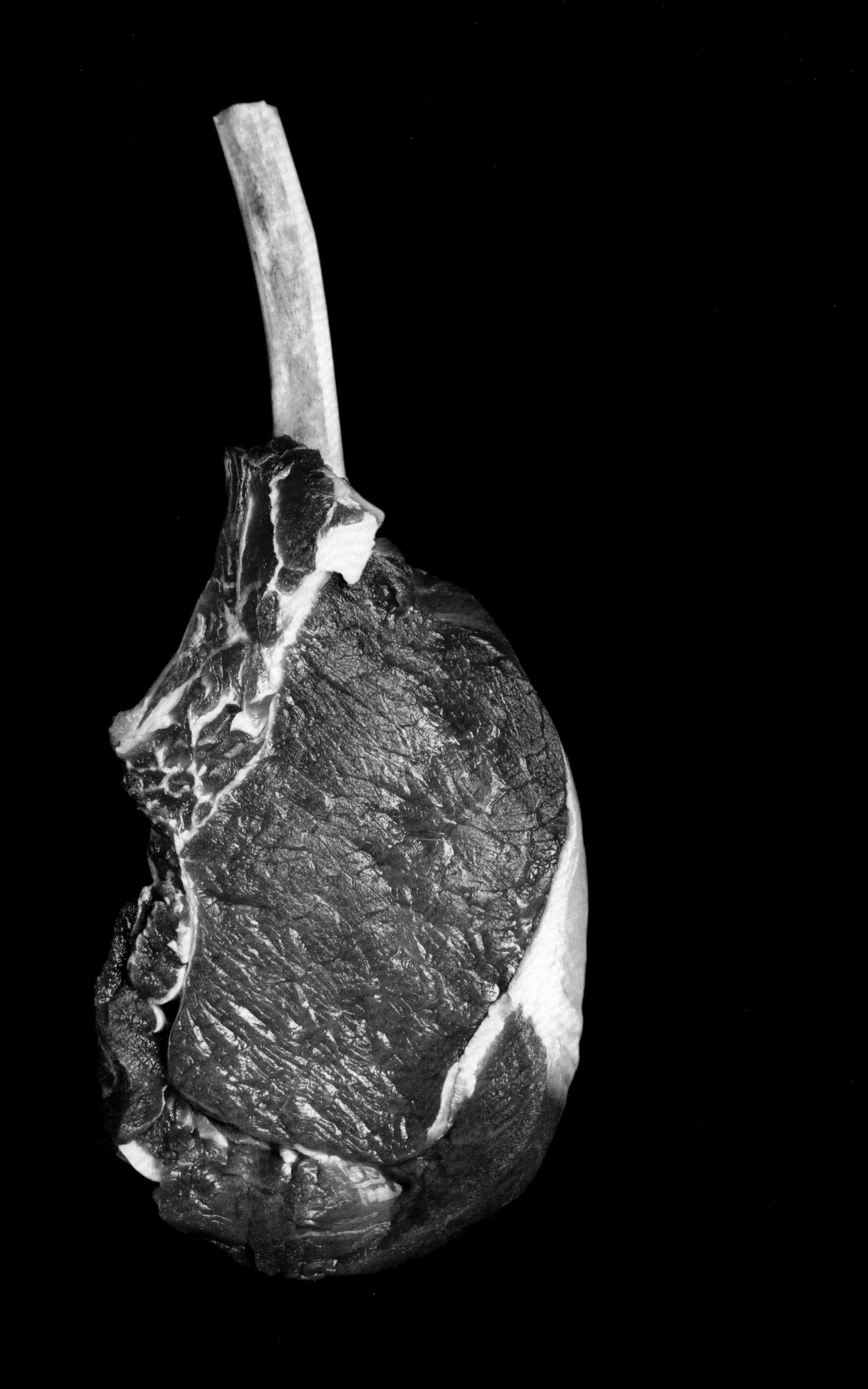

PRODUIT EXTRAORDINAIRE, LE CERF DE BOILEAU EST AIMÉ DES CHEFS PARCE QU'IL EST NOBLE TOUT EN ÉTANT FACILE À CUISINER. NOUS, ON L'AIME BLEU. ET AVEC LES BOIS, ON PEUT FAIRE DES PORTEMAN-TEAUX POUR LE CHALET !

TYPE DE PLAT entrée
PORTIONS 4
PRÉPARATION 20 min
CUISSON 5 min
REPOS 5 min
À BOIRE Languedoc, syrah

--- recette de Mathieu ---

FILET DE CERF AUX TROMPETTES DE LA MORT

1 morceau de filet de cerf de 450 g (1 lb)
50 g (½ tasse) de grains de poivre noir, concassés
1 baie de poivre long, torréfiée* puis concassée
2 c. à soupe d'huile d'olive
2 jaunes d'œufs
½ c. à café de moutarde de Dijon
375 ml (1 ½ tasse) d'huile végétale
½ c. à café de sauce piri-piri
½ échalote, ciselée
6 feuilles de persil plat, émincées
100 g (¼ lb) de champignons trompettes de la mort, asséchés
20 tiges de ciboulette, ciselées grossièrement
2 c. à soupe d'huile de pépins de raisin
100 g (¼ lb) de fromage de chèvre noir, en copeaux

** Technique pour torréfier le poivre : le déposer sur une plaque de cuisson et cuire au four à 200 °C (400 °F) pendant 5 minutes.*

Couper le filet de cerf en quatre pavés carrés. Mélanger le poivre et le poivre long, puis en enrober les pavés de cerf. Dans une poêle très chaude, saisir le cerf dans l'huile chaude pour obtenir une cuisson très saignante. Laisser reposer.

Faire une mayonnaise avec les jaunes d'œufs, la moutarde de Dijon, l'huile végétale, la sauce piri-piri, l'échalote et le persil.

Dans un poêlon à feu vif, sauter les champignons et la ciboulette dans l'huile de pépins de raisin chaude.

Dresser les pavés de cerf dans quatre assiettes décorées de traits de mayonnaise. Garnir des champignons et de fromage de chèvre.

--- Note du chef ---

Attention où vous achetez votre viande ! Trouvez-vous un boucher de confiance pour être sûr de ne pas vous faire passer du bœuf vieilli !

TYPE DE PLAT entrée
PORTIONS 4
PRÉPARATION 30 min
CUISSON 13 h
TEMPS DE REPOS 4 h
À BOIRE Molson Ex

--- recette de Mathieu ---

CÔTES LEVÉES DE CERF, SAUCE BBQ

4 grosses côtes levées (*ribs*)

MARINADE
200 g (1 tasse) de sucre
400 g (1 tasse) de gros sel
3 gousses d'ail
2 branches de thym
1 feuille de laurier

PREMIÈRE CUISSON
1 carotte
1 branche de céleri
1 oignon
3 gousses d'ail
2 branches de thym
1 feuille de laurier
Quantité suffisante d'eau

DEUXIÈME CUISSON
60 ml (¼ tasse) de miel
1 c. à café de sambal œlek (ou de sauce Tabasco)
55 g (¼ tasse) de cassonade
2 c. à soupe de vinaigre de vin blanc
250 ml (1 tasse) de ketchup
3 gousses d'ail hachées

Marinade : Dans un robot-coupe, mélanger tous les ingrédients. Sur chacune des *ribs,* bien répandre la marinade. Mettre les côtes dans un grand bol et les laisser reposer au frigo pendant 4 heures.

Première cuisson : Laver les côtes levées à l'eau froide. Les déposer ensuite dans une mijoteuse avec tous les ingrédients de la première cuisson. Ajouter de l'eau de manière à recouvrir le tout. Cuire 10 heures à basse température.

Deuxième cuisson : Dans une petite casserole, amener à ébullition le miel, le sambal œlek, la cassonade, le vinaigre, le ketchup, et les 3 gousses d'ail hachées. Badigeonner de cette sauce les côtes qui sortent de la mijoteuse pendant qu'elles sont encore chaudes, puis les laisser refroidir au frigo. Cuire les côtes levées sur le barbecue jusqu'à ce qu'elles soient bien grillées, en les badigeonnant de sauce durant la cuisson.

--- Note du chef ---
Vous pouvez aussi tenter la recette avec des côtes levées de porc.

Ma sauce BBQ est bien meilleure que la sienne ! ---jp

TYPE DE PLAT principal
PORTIONS 4
PRÉPARATION 30 min
CUISSON 4 h 30
À BOIRE Rioja (Espagne), tempranillo

--- recette de Jean-Philippe ---

JARRET DE CERF BRAISÉ, PURÉE DE COURGE MUSQUÉE

1 gros jarret de cerf (entier)
2 c. à soupe d'huile d'olive
2 grosses carottes, pelées et coupées en petits dés
2 gros oignons, en petits dés
3 branches de céleri, en petits dés
2 litres (8 tasses) de vin rouge sec
2 litres (8 tasses) de fond brun de veau (voir p. 235)
225 g (½ lb) de lard fumé, en lardons
8 oignons cipollinis
2 barquettes de champignons blancs, en quartiers
Sel et poivre noir frais moulu

PURÉE DE COURGE MUSQUÉE
1 grosse courge musquée (*butternut*), coupée en deux
1 c. à soupe d'huile d'olive
3 c. à soupe de beurre
Sel et poivre noir frais moulu

Préchauffer le four à 160 °C (325 °F).

Dans une cocotte à feu vif, saisir le jarret dans l'huile chaude sur tous les côtés. Ajouter les légumes de la mirepoix (carottes, oignons et céleri). Faire suer pendant 2 minutes. Déglacer avec le vin rouge et mouiller avec le fond brun de veau. Assaisonner et cuire au four, à couvert, pendant 3 ½ heures.

Retirer la cocotte du four et réserver. Augmenter le four à 180 °C (350 °F).

Badigeonner la chair des demi-courges d'huile d'olive. Déposer sur une plaque de cuisson, côté chair en bas, et cuire au four pendant 30 minutes ou jusqu'à tendreté. Retirer la chair et verser dans le robot culinaire. Réduire en purée, puis incorporer le beurre. Saler et poivrer, au goût. Réserver au chaud.

Retirer le jarret de la cocotte et passer le jus de cuisson au tamis. À feu vif, réduire le jus de cuisson de moitié pour obtenir une sauce. Entre-temps, dans un poêlon, saisir les lardons jusqu'à coloration. Retirer les lardons. Dans le gras de cuisson, saisir les oignons, puis les retirer. Ajouter les champignons et les saisir à leur tour. Remettre le jarret dans la cocotte et ajouter les lardons et les oignons. Bien enrober le tout de sauce.

Servir le jarret entier à table avec la purée de courge maison.

--- Note du chef ---
Amis chasseurs, laissez-vous aller ! Essayez la recette avec de l'orignal ou du chevreuil.

TYPE DE PLAT principal
PORTIONS 4
PRÉPARATION 30 min
CUISSON 1 h
À BOIRE Cahors, malbec

--- recette de Jean-Philippe ---

GIGUE DE CERF SAUCE GRAND VENEUR, ÉCRASÉ DE TOPINAMBOURS

4 morceaux de gigue (fesse) de cerf de 225 g (½ lb) chacun
1 c. à soupe d'huile d'olive
1 c. à soupe de beurre

SAUCE GRAND VENEUR
2 grosses carottes, pelées et coupées en petits dés
2 gros oignons, en petits dés
3 branches de céleri, en petits dés
2 c. à soupe d'huile d'olive
2 c. à soupe de grains de poivre noir entiers
2 c. à soupe de cognac
250 ml (1 tasse) de vin rouge
250 ml (1 tasse) de fond brun de veau, réduit en demi-glace (voir p. 235)

ÉCRASÉ DE TOPINAMBOURS
450 g (1 lb) de topinambours, frottés
2 c. à soupe d'huile d'olive
2 gousses d'ail entières
2 branches de romarin
2 branches de thym
2 c. à soupe de beurre
Sel et poivre noir frais moulu

Préchauffer le four à 180 °C (350 °F).

Dans une casserole d'eau froide salée, déposer les topinambours. Amener à ébullition et retirer tout de suite les topinambours. Transférer dans un cul-de-poule et incorporer le reste des ingrédients, sauf le beurre. Saler et poivrer. Envelopper en papillote dans du papier d'aluminium ou parchemin, déposer sur une plaque de cuisson et cuire au four pendant 45 minutes. Ensuite, mettre le contenu de la papillote dans un bol et, à l'aide d'une fourchette, écraser les topinambours dans leur jus. Incorporer le beurre et rectifier l'assaisonnement.

Entre-temps, dans une casserole à feu doux, préparer la sauce en faisant suer les légumes de la mirepoix (carottes, oignons et céleri) dans l'huile chaude pendant 2 minutes. Ajouter les grains de poivre et déglacer au cognac (flamber, si désiré). Ajouter le vin et le fond brun de veau, puis réduire de moitié à feu vif. Passer la sauce au chinois ou au tamis fin.

Dans une poêle à feu vif, saisir les morceaux de gigue dans l'huile d'olive et le beurre jusqu'à cuisson médium saignant de préférence. Finir la cuisson au four à 180 °C (350 °F) environ 10 minutes, selon l'épaisseur des morceaux.

Servir les pièces de cerf nappées de sauce et accompagnées de l'écrasé de topinambours.

LE QUÉBEC PRODUIT DE PLUS EN PLUS DE CHAMPIGNONS AVEC LEUR FORME, LEUR TEXTURE ET LEUR SAVEUR BIEN À EUX. QUAND LES GIROLLES ARRIVENT, ON LES POÊLE AU BEURRE, ON LES DÉGLACE AU VIN BLANC ET ON LES DÉVORE DEBOUT DANS LA CUISINE.

TYPE DE PLAT entrée
PORTIONS 4
PRÉPARATION 30 min
CUISSON 1 h
À BOIRE Argentine, malbec

--- recette de Mathieu ---

POTAGE DE CHAMPIGNONS, CRÈME MONTÉE À L'HUILE DE TRUFFE

1 kg (2 lb) de champignons blancs, coupés en quartiers

55 g (¼ tasse) de beurre

1 oignon espagnol, émincé

2 gousses d'ail

500 ml (2 tasses) de fond de volaille (voir p. 234)

2 branches de romarin

1 feuille de laurier

1 clou de girofle

375 ml (1 ½ tasse) de crème 35 %

1 c. à café d'huile de truffe

Sel et poivre noir frais moulu

Dans une casserole à fond épais, faire sauter les champignons dans le beurre avec l'oignon et l'ail pendant 10 minutes. Mouiller avec le fond de volaille. Ajouter le romarin, le laurier et le clou de girofle. Cuire 30 minutes à feu moyen. Incorporer 250 ml (1 tasse) de crème et continuer la cuisson pendant 20 minutes. Réduire en purée à l'aide d'un pied-mélangeur et passer au chinois ou au tamis fin. Assaisonner.

Fouetter le reste de la crème, en incorporant l'huile de truffe vers la fin. Assaisonner.

Verser le potage dans des assiettes creuses et décorer d'un peu de crème à l'huile de truffe.

TYPE DE PLAT entrée
PORTIONS 4
PRÉPARATION 20 min
CUISSON 30 min
À BOIRE bourgogne, Mercurey

--- recette de Jean-Philippe ---

TARTELETTES DE CHAMPIGNONS AU CHEDDAR DE MARCEL

450 g (1 lb) de champignons, au choix
125 g (¼ lb) de beurre
2 gousses d'ail, hachées
250 ml (1 tasse) de vin rouge
250 ml (1 tasse) de fond brun de veau, réduit en demi-glace (voir p. 235)
4 fonds de tartelette du commerce, cuits (ou voir la recette de pâte à tarte, dans Tartelettes aux mûres et à la ricotta, p. 158)
250 g (½ lb) de vieux cheddar, râpé
2 c. à soupe de vinaigre blanc
4 œufs
Sel et poivre noir frais moulu

SAUCE MOUSSEUSE À LA TRUFFE
250 ml (1 tasse) de fond de volaille (voir p. 234)
250 ml (1 tasse) de crème 35 %
2 ½ c. à soupe d'huile de truffe
1 c. à soupe de beurre
Sel et poivre noir frais moulu

Dans une grande poêle à feu vif, colorer les champignons dans le beurre chaud. Ajouter l'ail et cuire 30 secondes. Déglacer au vin rouge et réduire à sec. Incorporer la demi-glace et réduire à sec de nouveau. Saler et poivrer. Verser dans les fonds de tartelettes, parsemer de cheddar et faire gratiner sous le gril du four.

Entre-temps, dans une grande casserole, chauffer une bonne quantité d'eau jusqu'à ce qu'elle frémisse. Ajouter le vinaigre. Casser les œufs dans des petits bols individuels et les déposer délicatement dans l'eau, un à un. Pocher pendant 3 minutes. Retirer avec une écumoire et réserver sur un papier absorbant.

Pour la sauce, dans une autre casserole, chauffer le fond de volaille et la crème. Saler et poivrer. Incorporer l'huile de truffe et le beurre. Faire mousser à l'aide d'un batteur à main.

Servir les tartelettes coiffées d'un œuf poché et nappées de sauce mousseuse.

--- Note du chef ---

La recette est «à son meilleur» avec le cheddar de la Rêverie de mon ami Marcel Larrivée.

Mis en
Propriété
LEOGNAN

TYPE DE PLAT principal
PORTIONS 4
PRÉPARATION 30 min
CUISSON 30 min
REPOS 45 min
À BOIRE Alsace, sylvaner

--- recette de Mathieu ---

PORTOBELLOS GRILLÉS, ÉCU MARINÉ, COMPOTE DE TOMATES ET LENTILLES AU XÉRÈS

4 gros champignons portobellos, pelés

1 c. à soupe d'huile d'olive

4 fromages Écu (fromage de chèvre affiné de Mercier)

250 ml (1 tasse) de vin rouge

COMPOTE DE TOMATES

6 tomates italiennes, pelées*, émondées et coupées en cubes

1 échalote, ciselée

½ c. à café de miel

8 feuilles de persil plat, ciselées

Sel et poivre noir frais moulu

LENTILLES AU XÉRÈS

95 g (½ tasse) de lentilles du Puy

1 carotte, pelée et coupée en brunoise

1 échalote, ciselée

1 gousse d'ail, hachée

1 c. à café de vinaigre de xérès

1 c. à café de beurre non salé

Sel et poivre noir frais moulu

** Technique pour peler les tomates : À l'aide d'un couteau, faire une légère incision en x à la base de chacune d'elles. Préparer un bol d'eau glacée. Plonger les tomates dans une casserole d'eau bouillante salée et blanchir de 30 à 60 secondes, jusqu'à ce que la peau commence à se soulever. Transférer immédiatement dans l'eau glacée, puis peler au couteau.*

Préchauffer le gril ou le barbecue.

Enrober les champignons d'huile d'olive et assaisonner. Déposer sur le barbecue à feu élevé et faire cuire de 2 à 3 minutes selon l'épaisseur (pour un beau quadrillage, tourner d'un demi-tour à la mi-cuisson).

Déposer les fromages dans un petit contenant et ajouter le vin rouge pour couvrir. Laisser mariner 45 minutes à température ambiante.

Entre-temps, dans une casserole à fond épais, mettre les tomates, l'échalote et le miel, et cuire pendant 30 minutes à feu moyen. Remuer constamment pour aider l'évaporation et éviter que les tomates collent. Assaisonner et ajouter le persil.

Simultanément, dans une casserole d'eau bouillante salée, cuire les lentilles 10 minutes. Ajouter la carotte, l'échalote et l'ail. Cuire encore 10 minutes ou jusqu'à ce que les lentilles soient al dente. Égoutter et rincer dans une passoire. Remettre la casserole sur le feu avec les lentilles et les aromates. Déglacer avec le vinaigre et monter au beurre.

Assaisonner, dresser les assiettes et servir.

--- Note du chef ---

Si vous n'avez pas de fromage Écu, allez-y avec du fromage de chèvre affiné. N'importe lequel fera l'affaire.

TYPE DE PLAT principal
PORTIONS 4
PRÉPARATION 1 h 15 min
CUISSON 45 min
À BOIRE Californie, chardonnay

--- recette de Jean-Philippe ---

CASSOLETTE DE GIROLLES ET RIS DE VEAU À LA CRÈME

CASSOLETTE DE GIROLLES
600 g (1 1/3 lb) de girolles
4 c. à soupe de beurre
2 échalotes, ciselées
Sel et poivre noir frais moulu

RIS DE VEAU À LA CRÈME
600 g (1 1/3 lb) de ris de veau
4 c. à soupe d'huile d'olive
2 grosses carottes, pelées et coupées en petits dés
2 gros oignons, en petits dés
3 branches de céleri, en petits dés
2 gousses d'ail
1 branche de thym
1 feuille de laurier
2 c. à soupe de beurre
250 ml (1 tasse) de vin blanc
250 ml (1 tasse) de fond brun de veau (voir p. 235)
60 ml (¼ tasse) de crème 35 %
½ botte de ciboulette, ciselée
Sel et poivre noir frais moulu

Déposer les ris de veau dans un bol et, sous l'eau froide du robinet en filet continu, les faire dégorger pendant 1 heure.

Dans une casserole, faire chauffer 2 c. à soupe d'huile d'olive et y faire suer les légumes de la mirepoix (carottes, oignons et céleri). Ajouter l'ail, le thym, le laurier et 2 litres (8 tasses) d'eau, puis assaisonner. Déposer les ris dans ce court-bouillon et cuire pendant 20 minutes à feu doux. Retirer et égoutter les ris, puis les défaire en petits lobes.

Dans une poêle à feu vif, saisir les ris dans le beurre et le reste de l'huile d'olive pendant 2 à 3 minutes de chaque côté pour obtenir une belle croûte dorée. Réserver. Déglacer le poêlon avec le vin blanc. Ajouter le fond brun de veau et, à feu vif, réduire de moitié. Mouiller avec la crème et faire bouillir 2 minutes.

Saisir les girolles feu à vif dans le beurre avec les échalotes et cuire jusqu'à ce que l'eau de végétation s'évapore.

Mettre les ris dans la sauce. Ajouter les girolles et la ciboulette, puis rectifier l'assaisonnement.

Servir avec de gros croûtons de pain de campagne grillés.

--- Note du chef---
Utilisez des pommes de ris de veau plutôt que la chaînette, c'est tellement plus facile à nettoyer!

LES ABATS, CE N'EST PAS VRAIMENT MON FORT, MAIS CEUX DE JP SONT VRAIMENT TRÈS BONS. ---M

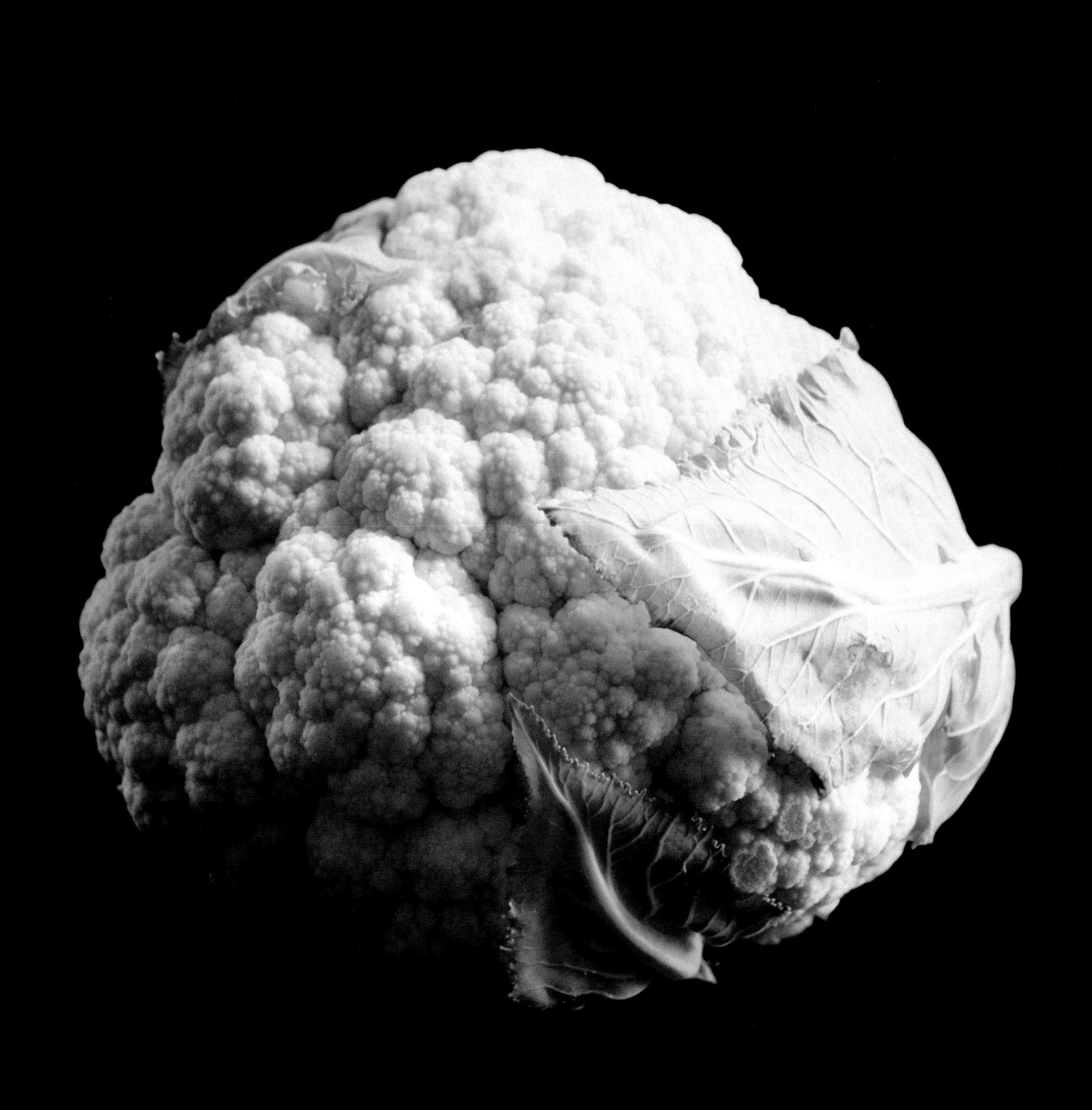

EXCEPTÉ EN PLATEAU DE CRUDITÉS, LE CHOU-FLEUR EST UN LÉGUME SOUVENT MAL AIMÉ. **POURTANT, IL EST TRÈS GOÛTEUX ET EXTRAORDINAIRE EN PURÉE. LE CHOU-FLEUR SE MARIE AVEC TOUT ET,** LE PLUS IMPORTANT POUR NOUS, IL EST VRAIMENT BON AVEC LE POISSON.

TYPE DE PLAT entrée
PORTIONS 4
PRÉPARATION 20 min
CUISSON 50 min
À BOIRE Italie, chardonnay

--- recette de Jean-Philippe ---

CRÈME DE CHOU-FLEUR ET CHIPS DE PROSCIUTTO

1 chou-fleur, en fleurons
2 pommes de terre à chair jaune, pelées et coupées en cubes
1 blanc de poireau, lavé et émincé
1 oignon, émincé
2 gousses d'ail entières
2 c. à soupe de beurre
250 ml (1 tasse) de vin blanc
2 litres (8 tasses) de fond de volaille (voir p. 234)
1 feuille de laurier
1 branche de thym
180 ml (¾ tasse) de crème 35 %
Quelques copeaux de parmesan frais
Sel et poivre noir frais moulu

CHIPS DE PROSCIUTTO
100 g (¼ lb) de prosciutto, en julienne
125 ml (½ tasse) d'huile d'olive

Dans une casserole à feu vif, faire frire la julienne de prosciutto dans l'huile d'olive jusqu'à ce que le jambon soit croustillant. Transférer sur un papier absorbant. Réserver l'huile pour le service.

Dans une casserole, faire suer les légumes et l'ail dans le beurre chaud pendant 5 minutes à feu moyen. Déglacer avec le vin blanc et faire réduire de moitié. Mouiller avec le fond de volaille, puis ajouter le laurier et le thym. Laisser mijoter à feu doux 30 minutes. Réduire le tout en purée au mélangeur et passer au tamis fin avant de retourner la soupe dans la casserole. Incorporer la crème et assaisonner au goût.

Verser la soupe dans des bols individuels. Garnir de chips de prosciutto et décorer d'un filet de l'huile réservée. Parsemer de copeaux de parmesan. Si désiré, servir avec des croûtons de pain à l'ail.

--- Note du chef ---
En été, servez-la froide, et remplacez le parmesan et le prosciutto par un peu de caviar.

LE SUCRÉ DU CHOU-FLEUR ET LE SALÉ DU PROSCIUTTO... VRAIMENT UN BEAU DUO! ---M

CANADIAN BUTTER

VERRE
ROUGE
#8 11$
MOULIN À VENT
MA DU CARRA
12$
ALENTEJANO
SEXY 11$

TYPE DE PLAT entrée
PORTIONS 4
PRÉPARATION 30 min
CUISSON 5 min
REPOS 1 h
À BOIRE Colombie-Britannique, sémillon

--- recette de Mathieu ---

SALADE DE FLEURONS MARINÉS, GELÉE AU BALSAMIQUE, CRÈME MONTÉE AU BASILIC

- ½ chou-fleur, coupé en fleurons de 1 cm (½ po)
- 20 haricots verts, équeutés
- 1 échalote, pelée et ciselée
- 125 ml (½ tasse) de vinaigre balsamique blanc
- 250 ml (1 tasse) d'huile d'olive
- 250 ml (1 tasse) de vinaigre balsamique noir
- 50 g (¼ tasse) de sucre
- 3 feuilles de gélatine
- 15 feuilles de basilic frais
- 60 ml (¼ tasse) d'huile de pépins de raisin
- 125 ml (½ tasse) de crème 35 %
- Sel et poivre noir frais moulu

Préparer deux bols d'eau glacée. Blanchir les fleurons de chou-fleur dans une casserole d'eau bouillante salée pendant 1 minute. Les transférer immédiatement dans un bol d'eau glacée pour arrêter la cuisson. Égoutter et réserver. Dans une autre casserole, blanchir les haricots verts pendant 1 ou 2 minutes. Les transférer dans l'autre bol d'eau glacée, puis les égoutter et les séparer en deux sur la longueur. Réserver.

Dans un grand bol, monter une vinaigrette en mélangeant l'échalote, le vinaigre balsamique blanc et l'huile d'olive. Ajouter les fleurons de chou-fleur et laisser mariner 1 heure à température ambiante.

Dans une casserole, faire bouillir le vinaigre balsamique noir et le sucre. Faire tremper les feuilles de gélatine dans de l'eau froide pendant 5 minutes. Égoutter et ajouter les feuilles au sirop de balsamique, en remuant pour dissoudre. Réfrigérer 1 heure.

Dans un contenant cylindrique (haut et étroit), broyer le basilic et l'huile de pépins de raisin à l'aide d'un pied-mélangeur. Passer dans un filtre à café. Dans un grand bol, fouetter la crème et ajouter l'huile de basilic tout en remuant. Assaisonner.

Dresser les assiettes et servir.

--- Note du chef ---

Attention à l'acidité de la gelée ! Quand le vinaigre et le sucre bouillent, il faut goûter. Si vous plissez les yeux, ajoutez un peu de sucre ou laissez réduire encore un peu.

Honnêtement, la gelée, ce n'est pas mon fort. Le manger mou, je garde ça pour plus tard. ---jp

TYPE DE PLAT accompagnement
PORTIONS 4
PRÉPARATION 10 min
CUISSON 30 min
À BOIRE Piémont, Barolo

--- recette de Jean-Philippe ---

PURÉE DE CHOU-FLEUR AU PARMESAN

1 gros chou-fleur, en fleurons
225 g (½ lb) de beurre
250 ml (1 tasse) de parmesan, râpé
Sel et poivre noir frais moulu

Dans une grande casserole à feu très doux, faire suer le chou-fleur dans le beurre chaud pendant 30 minutes au moins, en brassant souvent. Réduire le tout en purée au robot culinaire. Incorporer le parmesan et assaisonner au goût.

--- Note du chef ---

Cette purée sera délicieuse avec les carrés d'agneau braisés (voir p. 20), du poulet rôti, du flétan cuit au four ou des pétoncles poêlés tout simplement.

TYPE DE PLAT accompagnement
PORTIONS 4
PRÉPARATION 10 min
CUISSON 15 min
À BOIRE Bourgogne, chardonnay

--- recette de Mathieu ---

GRATIN DE CHOU-FLEUR AU GRUYÈRE

½ chou-fleur, coupé en fleurons
1 c. à soupe de beurre
1 c. à soupe de farine
2 gousses d'ail, hachées finement
½ c. à café de poivre de Cayenne en poudre
500 ml (2 tasses) de lait 2 %
250 ml (1 tasse) de fromage gruyère râpé
Sel et poivre frais moulu

Préparer un bol d'eau glacée. Amener à ébullition une casserole d'eau salée. Y plonger les fleurons de chou-fleur pendant 1 minute, puis les transférer immédiatement dans l'eau glacée pour arrêter la cuisson. Réserver.

Dans une casserole, mettre le beurre, la farine, l'ail et le poivre de Cayenne. Cuire à feu doux 5 minutes. Verser le lait froid dans la casserole, petit à petit, tout en fouettant. Amener à ébullition. Cuire 15 minutes. Ajouter le fromage.

Disposer le chou-fleur blanchi dans une cassolette. Ajouter la sauce et assaisonner. Gratiner et servir comme accompagnement.

--- Note du chef ---

On sert généralement cet accompagnement avec un poisson gras comme le maquereau grillé, un poulet grillé ou encore avec la côte de bœuf du Kitchen (voir p. 39).

Ah ! Ça, ça me rappelle mon enfance. C'est du bon comfort food comme je l'aime ! ---jp

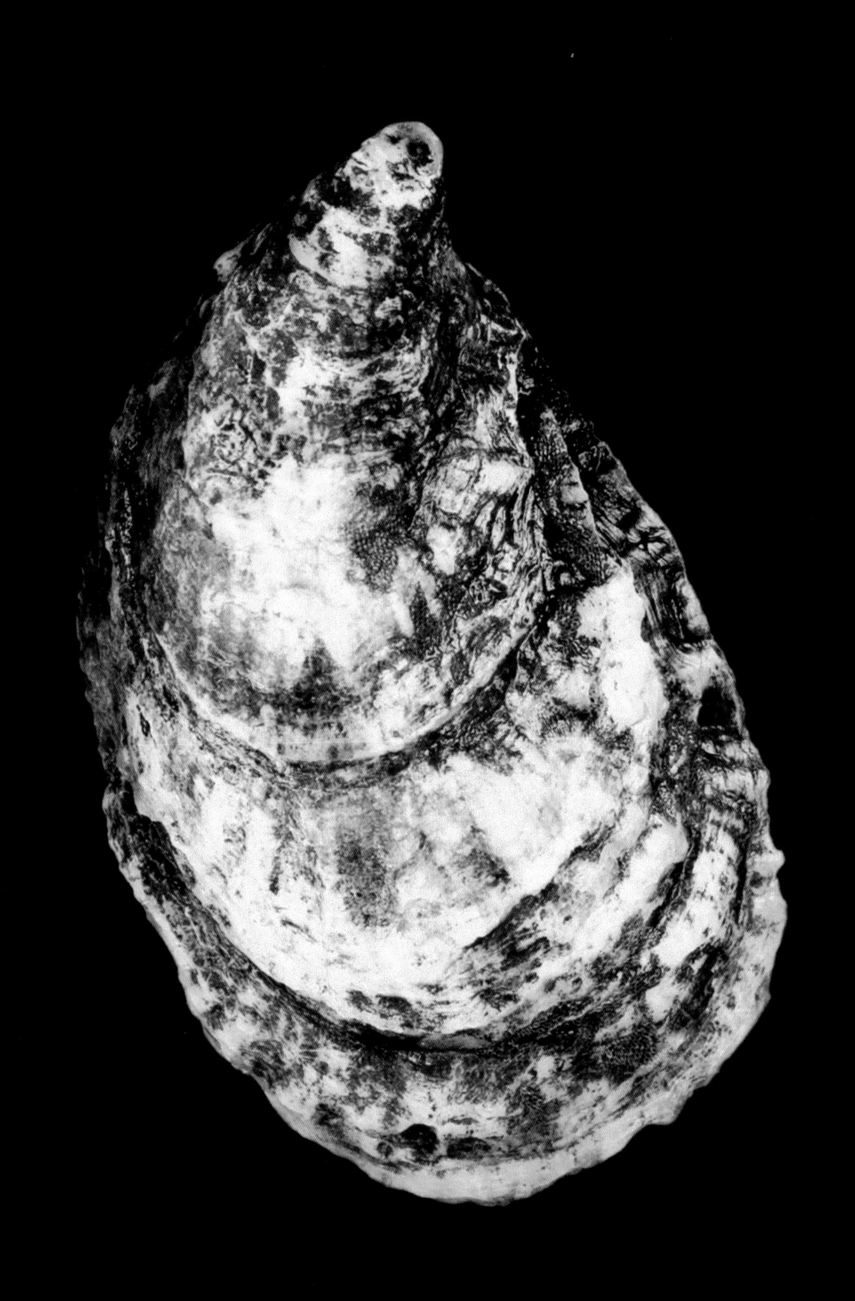

NOTRE BAR À HUÎTRES EST RECONNU, PEUT-ÊTRE PARCE QU'ON AIME FAIRE DÉCOUVRIR DES HUÎTRES MOINS CONNUES, COMME CELLES DE LA CÔTE OUEST. SI ON RÉUSSIT ICI À VOUS FAIRE **APPRIVOISER LES COQUILLAGES, ON AURA FAIT NOTRE JOB.**

TYPE DE PLAT entrée
PORTIONS 4
PRÉPARATION 30 min
CUISSON 30 min
À BOIRE Saint-Bris, sauvignon

--- Recette de Mathieu ---

CHAUDRÉE DE PALOURDES AU CHORIZO

1 échalote, ciselée
1 c. à café d'huile d'olive
40 palourdes Littleneck, lavées
500 ml (2 tasses) de vin blanc chardonnay
4 grosses pommes de terre Yukon Gold, pelées et coupées en cubes
1 litre (4 tasses) de fumet de poisson (voir p. 234)
2 branches de thym
1 gousse d'ail, hachée
1 feuille de laurier
250 ml (1 tasse) de crème à cuisson 35 %
½ c. à café de flocons de piment fort
1 chorizo d'environ 100 g (¼ lb), taillé en brunoise
10 tiges de ciboulette, ciselées
Sel et poivre noir frais moulu

Dans une casserole à fond épais, faire revenir l'échalote dans l'huile d'olive. Ajouter les palourdes et déglacer avec le vin. Cuire à couvert jusqu'à ce que les palourdes ouvrent. Retirer les palourdes du jus et les réserver au réfrigérateur.

Au jus de cuisson des palourdes, ajouter les pommes de terre, le fumet, le thym, l'ail et le laurier. Amener à ébullition et laisser frémir jusqu'à ce que les pommes de terre soient al dente. Passer le jus au tamis en le versant dans une autre casserole. Réserver les pommes de terre au réfrigérateur.

Réduire le jus de cuisson de moitié. Ajouter la crème et le piment fort. Réduire encore de moitié. Passer le tout au chinois ou au tamis, puis ajouter les palourdes et les pommes de terre réservées. Amener la chaudrée à ébullition. Assaisonner.

Verser la chaudrée dans des assiettes creuses. Décorer de chorizo et de ciboulette.

--- Note du chef ---

Attention à la cuisson des palourdes ! Souvent, dans les chaudrées, elles sont trop cuites et ça rend leur texture assez désagréable. Dès que les coquilles sont ouvertes, c'est qu'elles sont cuites !

Comme je suis moins gratteux que Mathieu, je remplacerais les palourdes par des huîtres. --- jp

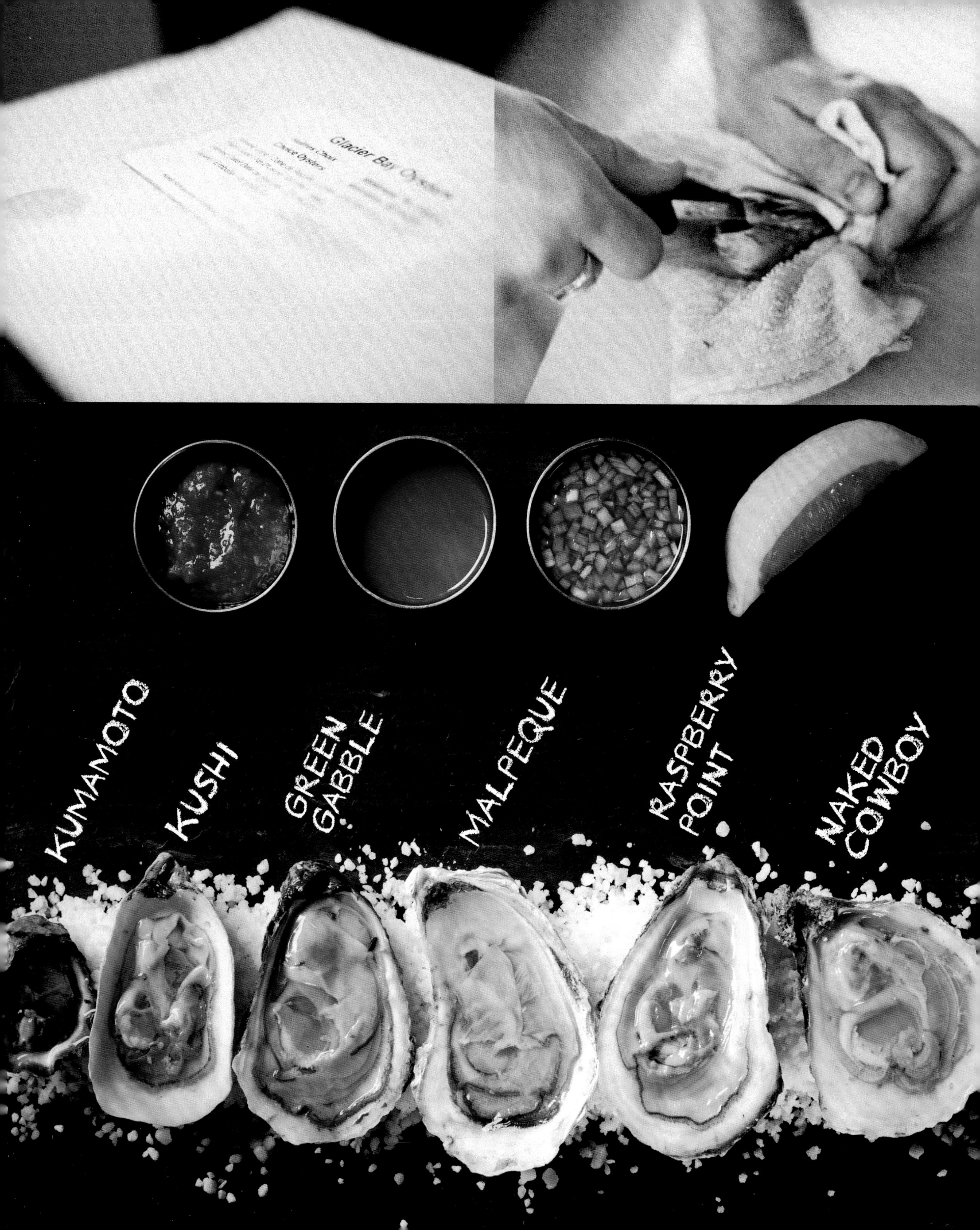

KUMAMOTO
KUSHI
GREEN GABBLE
MALPEQUE
RASPBERRY POINT
NAKED COWBOY

TYPE DE PLAT entrée
PORTIONS au choix
PRÉPARATION 5 min
À BOIRE Loire, muscadet Sèvre et Maine

--- recette de Jean-Philippe ---

HUÎTRES CLASSIQUES DU KITCHEN GALERIE

6 huîtres par personne
Quartiers de citron
Sauce Tabasco

SAUCE COCKTAIL MAISON
1 carotte, pelée
1 branche de céleri
1 échalote, pelée
3 gousses d'ail, pelées
1 c. à soupe de raifort frais, râpé
250 ml (1 tasse) de ketchup
Sel et poivre noir frais moulu

SAUCE MIGNONNETTE
2 échalotes, ciselées
125 ml (½ tasse) de vinaigre de vin rouge (la meilleure qualité possible)

De retour du poissonnier, il suffit de bien brosser vos huîtres et de les déposer dans un linge humide, côté bombé vers le haut pour préserver leur jus. Elles se conserveront ainsi quelques jours au réfrigérateur.

Pour la sauce cocktail du Kitchen, passer tous les ingrédients, sauf le ketchup, au robot culinaire. Incorporer le ketchup et c'est tout.

Pour la sauce mignonnette, combiner les échalotes et le vin rouge.

Servir les huîtres avec les deux sauces, le citron et la sauce Tabasco sur la table, et laisser vos convives décider.

--- Note du chef ---

Pour les huîtres, je n'ai pas de recette puisqu'on les sert crues. Par contre, j'ai des préférences. Quand je veux servir des huîtres de la côte Ouest, j'aime les Fat Bastard, les Kushi et les Kumamoto, qui sont plus grasses et plus laiteuses – ce qui ne plaît pas à tous, mais à moi, oui! En provenance de la côte Est, j'aime servir des Chopper's Choice, des Raspberry Point, des Blue Points et des Green Gable. Oubliez les histoires de grand-mère: aujourd'hui, les huîtres sont bonnes 12 mois par année et pas seulement les mois se terminant en «bre». Pour vous assurer de leur fraîcheur, vous avez surtout besoin d'un bon poissonnier de confiance. (Un ami précieux à se faire, en passant.)

TYPE DE PLAT entrée
PORTIONS 4
PRÉPARATION 20 min
CUISSON 45 min
À BOIRE Loire, Cour-Cheverny

--- recette de Jean-Philippe ---

PALOURDES GRATINÉES AU BACON

12 palourdes
500 ml (2 tasses) de vin blanc
1 gousse d'ail
2 branches de thym
225 g (½ lb) de bacon, taillé en lardons
1 barquette de champignons blancs, en brunoise
2 oignons verts, émincés
1 blanc de poireau, émincé
500 ml (2 tasses) de crème 35 %
300 g (10 oz) de fromage Douanier, coupé en 12 tranches

Dans une grande casserole à feu élevé, combiner les palourdes, le vin blanc, l'ail et le thym. Faire cuire à couvert, jusqu'à ce que les palourdes s'ouvrent. (Jeter toute palourde qui reste fermée.) Réserver les palourdes et passer le jus de cuisson au tamis fin.

Dans une casserole, faire cuire les lardons. Retirer un peu du gras de bacon de la casserole. Y faire sauter les champignons, les oignons verts et le poireau, mais sans colorer. Déglacer avec le jus de cuisson réservé et, à feu vif, faire réduire de moitié. Ajouter la crème et réduire à nouveau de moitié.

Au besoin, s'assurer que chaque coquille retrouve sa palourde. Mettre dans un plat allant au four, recouvrir du mélange de lardons, puis de fromage. Cuire sous le gril du four de 2 à 3 minutes ou jusqu'à ce que le fromage soit doré. Servir sans attendre.

--- Note du chef ---

Vous pouvez remplacer le bacon par du chorizo doux. Pour un petit *kick* supplémentaire, prenez un chorizo piquant !

MEAT

TYPE DE PLAT principal
PORTIONS 4
PRÉPARATION 45 min
CUISSON 30 min
REPOS 1 h
À BOIRE Pays d'Oc, viognier

--- Recette de Mathieu ---

BEIGNETS AUX HUÎTRES KUSHI, MOUSSE AU CITRON, RISOTTO AUX CÂPRES FRITES

BEIGNETS AUX HUÎTRES KUSHI
12 huîtres Kushi
250 g (2 tasses) de farine
1 œuf
1 bouteille (341 ml) de bière blonde québécoise
½ c. à café de sucre
½ c. à café de levure chimique
Sel, au goût
Huile végétale (pour la friteuse)

MOUSSE AU CITRON
Le jus et le zeste de 3 citrons
2 c. à soupe de sucre
125 ml (½ tasse) de crème 35 %

RISOTTO AUX CÂPRES FRITES
2 c. à soupe d'huile d'olive
200 g (1 tasse) de riz arborio
1 gousse d'ail, hachée
1 échalote, ciselée
1 branche d'origan, hachée
750 ml (3 tasses) de fumet de poisson, chaud (voir p. 234)
125 ml (½ tasse) de crème à cuisson 35 %
1 c. à soupe de beurre
125 ml (½ tasse) de câpres
Sel et poivre noir frais moulu
Huile végétale (pour la friteuse)

Préchauffer l'huile dans la friteuse à 160 °C (325 °F).

Beignets aux huîtres Kushi : Ouvrir et détacher les huîtres. Dans un bol, verser la moitié de la farine et y déposer les huîtres, en les enrobant bien. Dans un autre bol, fouetter l'œuf. Y ajouter la bière et le sucre. Dans un troisième bol, mélanger le reste de la farine, la levure chimique et du sel. Incorporer le mélange liquide à cette farine petit à petit. Vous devez avoir une texture nappante. Passer les huîtres enfarinées dans ce mélange et frire pendant 1 minute. Réserver sur un papier absorbant.

Mousse au citron : Dans une casserole, combiner le jus, le zeste et le sucre. Faire bouillir pendant 5 minutes ou jusqu'à l'obtention d'un sirop. Refroidir environ 1 heure. Fouetter la crème, puis y ajouter le sirop en fouettant constamment. Réserver au froid.

Risotto aux câpres frites : Préchauffer l'huile dans la friteuse à 160 °C (325 °F). Entre-temps, dans une casserole, faire chauffer l'huile d'olive à feu doux. Y ajouter le riz en l'enrobant bien et le faire nacrer pendant 5 minutes. Ajouter l'ail, l'échalote et l'origan en mélangeant bien. À feu moyen, ajouter une louche de fumet chaud, en remuant régulièrement jusqu'à ce que le riz ait absorbé le liquide. Verser une autre louche de fumet et le laisser absorber avant de verser la louche suivante et ainsi de suite. (Le tout devrait prendre environ 25 minutes.) Ajouter la crème et cuire 3 minutes. Retirer la casserole du feu et ajouter le beurre tout en fouettant. Réserver. Assécher les câpres sur un papier absorbant. Frire 30 secondes à la friteuse. Assaisonner.

Dans une assiette, déposer les beignets aux huîtres sur le risotto. Garnir de mousse et de câpres frites.

--- Note du chef ---

Le *beer batter*, c'est un grand classique anglais. Vous pouvez donc remplacer les huîtres par du poisson (églefin ou morue) pour vous faire un fish & chip maison.

Aaarrg ! C'est ben trop compliqué ! Moi, je me préparerais une petite sauce tartare vite faite pour accompagner les beignets, et c'est tout ! --- jp

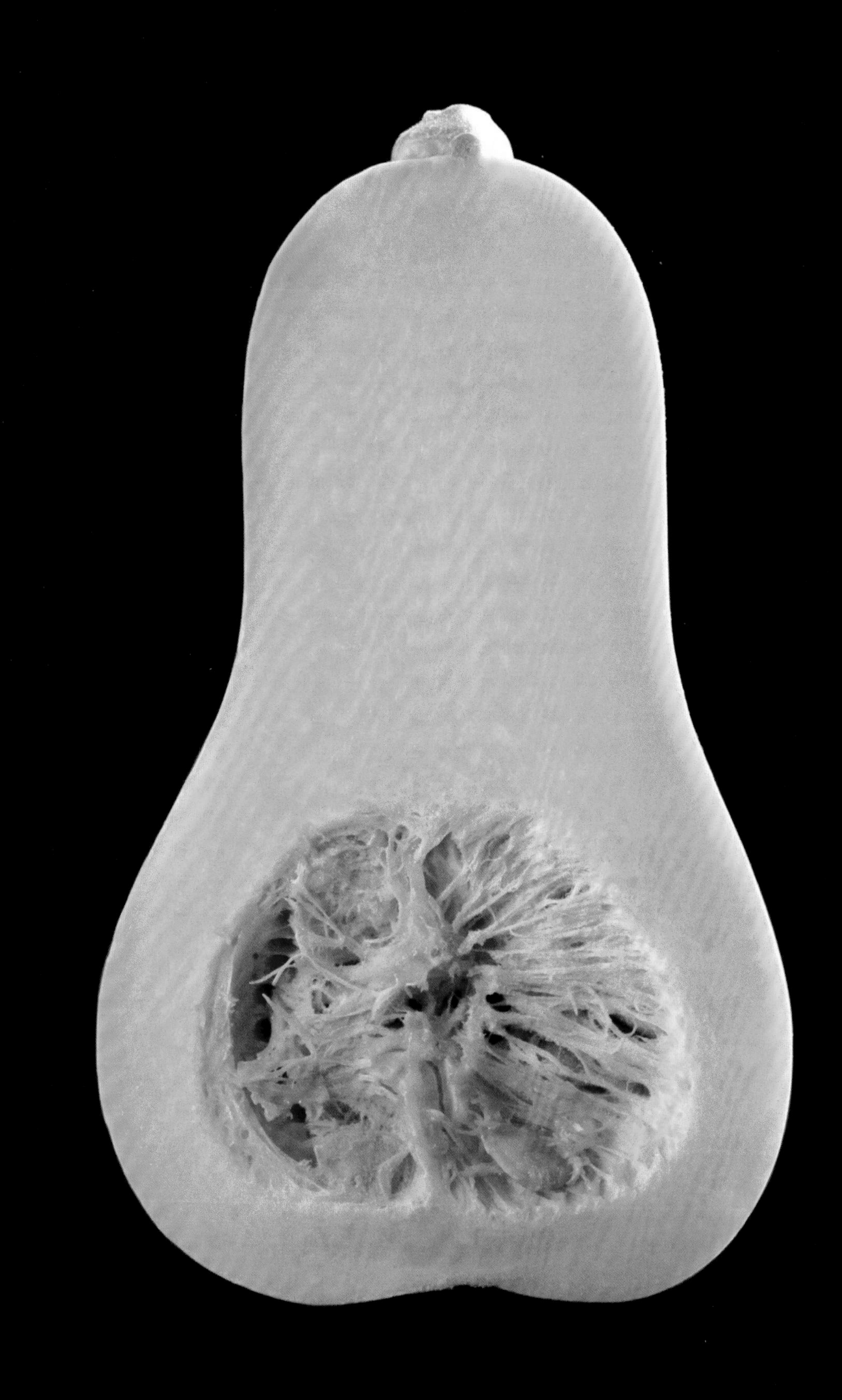

LES COURGES SONT L'UN DES RARES LÉGUMES PAS MAL BONS TOUTE L'ANNÉE. L'ÉTÉ, ON FÊTE LES FLEURS DE COURGETTE. L'HIVER, ON APPRÉCIE LA TOUCHE SUCRÉE QU'AJOUTENT LES COURGES À NOS BRAISÉS. ELLES FONT DE BELLES DÉCOS DE TABLE AUSSI.

VIN AU VERRE
BLANC
ROUGE

TYPE DE PLAT entrée
PORTIONS 4
PRÉPARATION 20 min
CUISSON 30 min
À BOIRE Beaujolais, gamay

--- recette de Jean-Philippe ---

CRÈME DE COURGE MUSQUÉE, CROÛTONS AU GRILLED CHEESE

1 courge musquée (*butternut*), pelée et coupée en cubes
2 pommes de terre à chair jaune, pelées et coupées en cubes
1 blanc de poireau, émincé
1 oignon, émincé
2 gousses d'ail entières
2 c. à soupe de beurre
250 ml (1 tasse) de vin blanc
2 litres (8 tasses) de fond de volaille (voir p. 234)
1 feuille de laurier
1 branche de thym
180 ml (¾ tasse) de crème 35 %
Sel et poivre noir frais moulu

CROÛTONS AU GRILLED CHEESE
4 tranches de pain blanc
2 c. à soupe de beurre
2 tranches de fromage Kraft

Dans une casserole à feu moyen, faire suer la courge, les pommes de terre, le blanc de poireau, l'oignon et l'ail dans le beurre chaud pendant 5 minutes. Déglacer avec le vin blanc et faire réduire de moitié. Mouiller avec le fond de volaille, puis ajouter le laurier et le thym. Laisser mijoter à feu doux 30 minutes. Réduire le tout en purée au mélangeur et passer au tamis fin avant de retourner la soupe dans la casserole. Incorporer la crème et assaisonner au goût.

Beurrer les tranches de pain d'un côté seulement. Déposer deux tranches, côté beurre dessous, dans un poêlon à feu moyen-élevé. Recouvrir chacune de fromage Kraft et fermer avec les deux autres tranches de pain, côté beurré dessus. Faire griller jusqu'à ce que le pain soit doré et que le fromage commence à fondre. Retourner et cuire l'autre côté. Couper en cubes.

Verser la soupe dans des bols individuels. Garnir de croûtons de *grilled cheese* et servir aussitôt.

LÂCHEZ-MOI LA PETITE TRANCHE ORANGE DE KRAFT ET REMPLACEZ-MOI ÇA PAR UN FROMAGE QUÉBÉCOIS. --- M

TYPE DE PLAT entrée
PORTIONS 4
PRÉPARATION 30 min
CUISSON 45 min
REPOS 20 min
À BOIRE Côtes de Provence, grenache

--- recette de Mathieu ---

LA RATATOUILLE D'EZ ET EMMA

250 ml (1 tasse) d'huile d'olive
1 grosse aubergine, tranchée finement
1 grosse courgette, tranchée finement
4 gousses d'ail, pelées
2 grosses tomates de serre, tranchées finement
1 échalote, pelée et émincée
60 g (½ tasse) de farine
½ c. à café de cumin
2 poivrons rouges, émincés finement
60 ml (¼ tasse) de vin blanc
2 c. à soupe de crème à cuisson 35 %
2 boules de mozzarella di Buffala, tranchées finement
Sel et poivre noir frais moulu
Huile végétale (pour la friteuse)

Dans un grand bol, mélanger l'huile d'olive, l'aubergine et la courgette. Hacher finement 3 gousses d'ail et ajouter au mélange. Mettre dans une poêle chaude et faire sauter 2 minutes de chaque côté sans trop de coloration. Étaler les légumes sur un papier absorbant. Réserver au réfrigérateur.

Mettre du papier absorbant sur une plaque de cuisson et y disposer les tranches de tomates crues pour les faire dégorger. Laisser reposer au réfrigérateur pendant environ 20 minutes.

Préchauffer l'huile de la friteuse à 160 °C (325 °F).

Dans un petit bol, assaisonner l'échalote et laisser reposer 15 minutes. Dans une autre petit bol, mélanger la farine et le cumin. Ajouter l'échalote petit à petit pour bien enrober chaque morceau. Frire délicatement à la friteuse.

Dans une casserole, pocher les poivrons et la gousse d'ail entière qui reste dans le vin blanc. Cuire 20 minutes ou jusqu'à sec. Broyer à l'aide d'un pied-mélangeur et incorporer la crème. Assaisonner.

Pour servir, faire alterner les légumes pour former une rosace dans chaque assiette et garnir de mozzarella di Buffala.

--- Note du chef ---

Celle-là, c'est pour mon filleul Ez et sa sœur Emma. J'ai déconstruit la recette comme celle du film *Ratatouille* pour les amuser. Et ça marche ! Vous pouvez aussi remplacer l'échalote par du topinambour ou des pommes de terre en les préparant de la même façon.

C'est loin de la ratatouille classique, mais c'est une sacrée belle idée ! --- jp

TYPE DE PLAT entrée
PORTIONS 4
PRÉPARATION 20 min
CUISSON 50 min
À BOIRE Côtes de Provence, cinsault, rosé

--- recette de Jean-Philippe ---

BEIGNETS DE FLEURS DE COURGETTE, MAYONNAISE À L'AIL RÔTI

20 mini-courgettes avec leur fleur
30 g (¼ tasse) de farine tout usage
240 g (2 tasses) de farine à tempura
½ cannette de Seven-Up
Sel et poivre noir frais moulu
Huile végétale (pour la friteuse)

MAYONNAISE À L'AIL RÔTI
1 tête d'ail, le haut coupé pour révéler les gousses
1 ½ c. à soupe d'huile d'olive
1 jaune d'œuf
1 c. à soupe de moutarde de Dijon
Le jus de 1 citron
250 ml (1 tasse) d'huile végétale
Sel et poivre noir frais moulu

Préchauffer le four à 160 °C (325 °F).

Préparer d'abord la mayonnaise : Envelopper la tête d'ail dans un papier d'aluminium en exposant le haut des gousses. Saler et parsemer de quelques gouttes d'huile. Faire rôtir au four pendant 45 minutes. Retirer le papier d'aluminium et presser délicatement les gousses dans un bol pour les faire glisser de leur pelure. Écraser l'ail à la fourchette et réserver.

Dans un autre bol ou au robot culinaire, combiner le jaune d'œuf, la moutarde, le jus de citron et la purée d'ail rôti. Assaisonner. En fouettant, ajouter l'huile en fin filet jusqu'à l'obtention d'une mayonnaise lisse et homogène. Réserver.

Préchauffer l'huile de la friteuse à 190 °C (375 °F).

Dans une grande assiette creuse, déposer la farine tout usage. Dans une deuxième assiette creuse, combiner la farine à tempura avec le Seven-Up. Assaisonner.

Retirer les pédoncules des fleurs de courgette. Passer les mini-courgettes avec leur fleur dans la farine tout usage, puis dans le mélange à tempura. Faire frire 1 ou 2 minutes, jusqu'à ce que la pâte soit croustillante et dorée. Égoutter sur un papier absorbant.

Servir sans attendre, accompagné de la mayonnaise à l'ail rôti.

DES FLEURS DE COURGETTE AU MOIS D'AVRIL? TU EN DOIS TOUTE UNE À LINO ET À BRUNO BIRRI, MON JP! --- M

TYPE DE PLAT principal
PORTIONS 4
PRÉPARATION 30 min
CUISSON 13 h 15 min
À BOIRE Italie, negroamaro

--- recette de Mathieu ---

COURGE SPAGHETTI GRATINÉE AU CHÈVRE NOIR

2 petites courges spaghetti
4 c. à soupe d'huile d'olive
200 g (1 ¾ tasse) de cheddar Chèvre Noir, râpé

SAUCE À LA VIANDE
60 ml (¼ tasse) d'huile d'olive
500 g (1 ¼ lb) de bœuf haché mi-maigre
250 g (½ lb) de porc haché mi-maigre
1 oignon, émincé
1 carotte, pelée et émincée
2 branches de céleri, émincées
3 gousses d'ail, pelées
1 feuille de laurier
4 branches de thym
20 tomates italiennes, émondées et coupées en cubes
1 c. à café de pâte de tomate
250 ml (1 tasse) de jus de tomate
Sel et poivre noir frais moulu

Pour préparer la sauce, mettre l'huile à chauffer dans une grande casserole à fond épais et saisir le bœuf et le porc à feu vif. Assaisonner, réduire le feu et cuire 15 minutes. Ajouter l'oignon, la carotte, le céleri, l'ail, le laurier et le thym. Cuire 15 minutes. Ajouter les tomates italiennes, la pâte et le jus de tomate. Cuire à découvert pendant 12 heures à feu très doux. Rectifier l'assaisonnement.

Préchauffer le four à 200 °C (400 °F).

Couper les courges en deux sur la longueur. Retirer les pépins à l'aide d'une cuillère. Assaisonner et verser 1 c. à soupe d'huile d'olive dans chaque demi-courge. Cuire au four pendant 40 minutes. Ajouter la sauce au centre de chaque demi-courge et recouvrir de fromage. Gratiner sous le gril du four pendant 5 minutes et servir.

--- Note du chef ---

Ça, c'est la recette de mon père. La seule qu'il m'ait montrée. Elle est parfaite pour les mercredis soir: on peut faire cuire la courge d'avance, utiliser une sauce à spaghetti déjà prête et s'occuper des enfants en même temps tellement c'est simple!

Félicitations Dan! ---jp

AU QUÉBEC, ON DIRAIT QU'ON A TOUS GRANDI AVEC LES BROCHETTES DE CREVETTES AU BEURRE À L'AIL. **IL Y A TANT DE SORTES DE CREVETTES, POURTANT, QUE ÇA VAUT LA PEINE DE LES** CUISINER AUTREMENT SURTOUT SI, COMME NOUS, VOUS ÊTES ACCRO AU TEMPURA.

TYPE DE PLAT entrée
PORTIONS 4
PRÉPARATION 15 min
CUISSON 15 min
REPOS 2 h
À BOIRE Bloody Mary

--- recette de Mathieu ---

CREVETTES POCHÉES, GELÉE DE BLOODY À BOURDAGES, CHIPS DE CÉLERI-RAVE ET MAYO D'ESPELETTE

CREVETTES POCHÉES
2 litres (8 tasses) d'eau
1 carotte, pelée et coupée grossièrement
2 branches de céleri, filaments retirés et coupées grossièrement
1 oignon, haché grossièrement
1 gousse d'ail
1 c. à café de sel de céleri
50 g (¼ tasse) de gros sel
12 crevettes (grosseur 21-25), décortiquées et déveinées
4 litres (16 tasses) de glaçons

GELÉE DE BLOODY À BOURDAGES
500 ml (2 tasses) de Clamato
4 feuilles de gélatine
500 ml (2 tasses) d'eau froide
1 c. à café de sel de céleri
3 gouttes de sauce Tabasco
2 gouttes de sauce Worcestershire
30 ml (1 oz) de vodka
Le jus de ½ citron
Sel et poivre noir frais moulu

CHIPS DE CÉLERI-RAVE
1 céleri-rave
Huile végétale (pour la friteuse)

MAYO D'ESPELETTE
250 ml (1 tasse) de mayo (voir p. 235)
½ c. à café de piment d'Espelette
Le zeste de 1 citron
Sel et poivre noir frais moulu

Crevettes pochées : Dans une grande casserole, combiner l'eau, la carotte, le céleri, l'oignon, l'ail, le sel de céleri et le gros sel. Faire bouillir pendant 30 minutes. Y pocher les crevettes pendant 2 minutes. Retirer la casserole du feu et ajouter les glaçons pour refroidir le tout le plus rapidement possible. Laisser reposer les crevettes dans l'eau de cuisson au moins 30 minutes.

Gelée de bloody à Bourdages : Dans une petite casserole, faire bouillir la moitié du Clamato. Dans un grand bol, faire tremper les feuilles de gélatine pendant 5 minutes dans l'eau froide. Vider l'eau. Verser le Clamato chaud sur la gélatine pour la dissoudre. Ajouter le reste du Clamato, le sel de céleri, la sauce Tabasco, la sauce Worcestershire, la vodka et le jus de citron. Assaisonner. Verser dans un moule carré de 5 cm x 5 cm et réfrigérer.

Chips de céleri-rave : Préchauffer l'huile dans la friteuse à 160 °C (325 °F). À l'aide d'une mandoline, trancher le céleri-rave en lamelles très fines et frire jusqu'à l'obtention de chips dorées et croustillantes.

Mayo d'Espelette : Mélanger la mayonnaise, le piment d'Espelette et le zeste de citron dans un petit bol. Assaisonner au goût.

Dresser les assiettes et servir.

--- Note du chef ---

Les crevettes peuvent tremper jusqu'à 24 heures dans leur eau de cuisson. Elles sont vraiment délicieuses quand elles sont gorgées de jus, alors si vous avez le temps, profitez-en !

Bon, encore du Jell-O ! Vous pourrez évidemment le remplacer par des tomates fraîches ou des tomates confites. ---jp

KGP
SHOOTERS d'
CEASAR
1 3
lime 5 14
Bulles 5 14
5 14

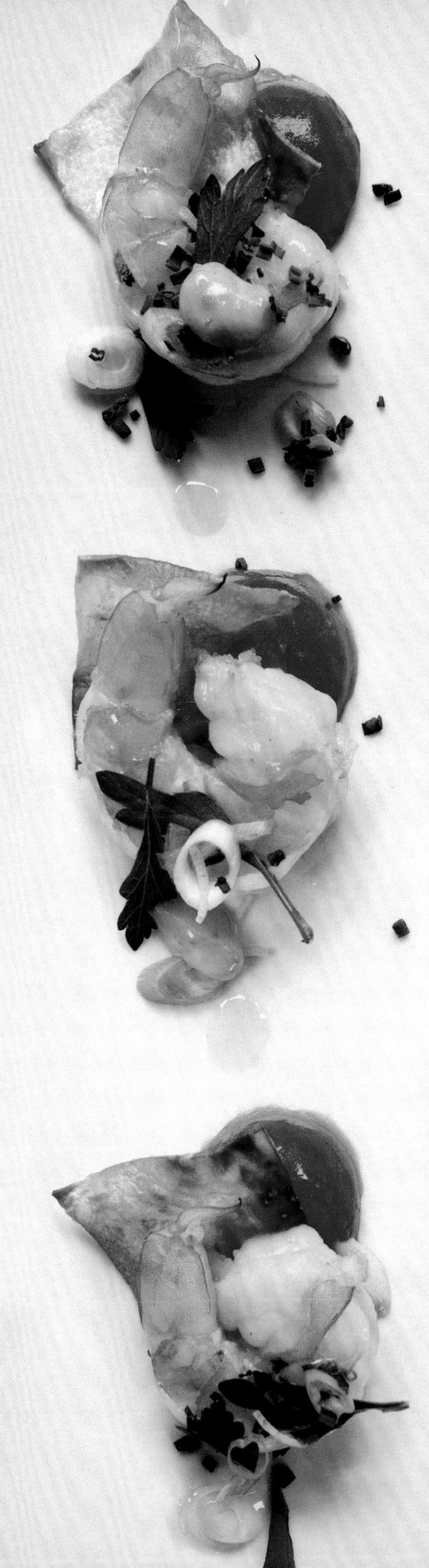

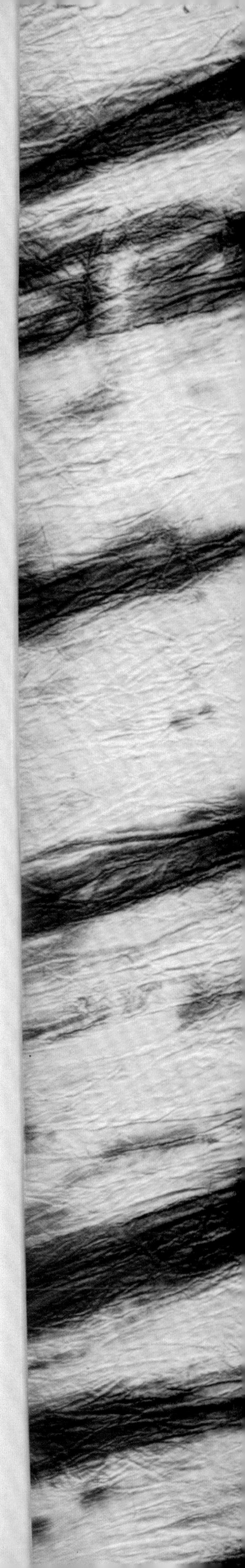

TYPE DE PLAT entrée
PORTIONS 4
PRÉPARATION 5 min
CUISSON 7 min
À BOIRE Autriche, grüner veltliner

--- recette de Jean-Philippe ---

GUÉDILLE DE CREVETTES DE MATANE

500 g (1 lb) de crevettes de Matane (fraîches), cuites
180 ml (¾ tasse) de mayonnaise
½ laitue Iceberg, émincée
2 tomates italiennes, épépinées et coupées en dés
1 c. à soupe de piment d'Espelette
50 g (¼ tasse) de beurre
4 pains à hot dog
Sel et poivre noir frais moulu

Dans un bol, mélanger les crevettes, la mayonnaise, la laitue et les dés de tomates.

Assaisonner de sel, de poivre et de piment d'Espelette. Réserver.

Dans une poêle à feu moyen, faire fondre le beurre et y faire rôtir les pains à hot dog pendant 2 minutes de chaque côté.

Farcir les pains du mélange de crevettes.

Servir avec une salade ou des frites.

--- Note du chef ---
Si votre budget vous le permet, vous devez absolument essayer la recette avec du homard !

C'EST UN PEU TRASH, MAIS C'EST VRAIMENT BON. EN FIN DE SOIRÉE, C'EST COMME UNE BONNE GROSSE POUTINE, MAIS C'EST MEILLEUR POUR LA SANTÉ.
--- M

MEAT

TYPE DE PLAT principal
PORTIONS 4
PRÉPARATION 30 min
CUISSON 20 min
À BOIRE Bourgogne, aligoté

--- recette de Mathieu ---

ORZO AUX CREVETTES DE ROCHE

1 paquet (300 g) d'orzo
2 c. à café de gros sel
60 ml (¼ tasse) d'huile d'olive
1 gousse d'ail, hachée
1 piment oiseau, haché
600 g (1 ⅓ lb) de crevettes
100 g (¼ lb) de saucisson rosette de Lyon, en julienne
3 carottes Bordeaux, pelées et coupées en brunoise
1 échalote, pelée et ciselée
10 mini-bok choys, effeuillés et blanchis
10 champignons de Paris, lavés et coupés en brunoise
2 c. à café de ricard
250 ml (1 tasse) de bisque de homard à la vanille et au citron vert (voir p. 137)
250 ml (1 tasse) de crème à cuisson 35 %
15 tiges de ciboulette, ciselées
100 g (1 tasse) de vieux cheddar, en copeaux
Sel et poivre noir frais moulu

Dans une grande casserole d'eau bouillante, cuire l'orzo avec le gros sel jusqu'à cuisson al dente (voir les instructions sur l'emballage). Bien égoutter **sans rincer** et étendre sur une plaque de cuisson. Napper de la moitié de l'huile d'olive en enrobant bien les grains d'orzo. Saler et poivrer. Refroidir au réfrigérateur.

Dans une très grande poêle ou casserole à fond épais, faire chauffer le reste de l'huile d'olive à feu moyen. Faire revenir l'ail et le piment oiseau pendant 3 minutes. Augmenter le feu au maximum, puis saisir les crevettes et la rosette de Lyon pendant 2 minutes environ. À mi-cuisson, ajouter les carottes, l'échalote, les feuilles de bok choy et les champignons. Déglacer avec le ricard et cuire 2 minutes. Incorporer la bisque et cuire encore 2 minutes. Ajouter la crème, la ciboulette et l'orzo, puis cuire encore 2 minutes pour réchauffer les pâtes. Assaisonner au goût.

Servir, décoré de copeaux de vieux cheddar.

--- Note du chef ---

Comme les champignons ont tendance à perdre leur saveur en cuisant, le plus important, c'est de bien les saisir.

Ça, c'est vraiment bon ! On peut remplacer les crevettes par du homard. Ou mettre les deux ! (Moi, je l'aurais fait, en tout cas !) --- jp

TYPE DE PLAT principal
PORTIONS 4
PRÉPARATION 20 min
CUISSON 12 min
À BOIRE Mojito

--- recette de Jean-Philippe ---

GAMBAS GRILLÉES, DUXELLES DE CHAMPIGNONS ET COULIS DE PERSIL À L'AIL

GAMBAS GRILLÉES
8 grosses gambas, décortiquées avec la tête
60 ml (¼ tasse) d'huile d'olive
2 gousses d'ail, hachées finement
½ botte de persil, hachée
Sel et poivre noir frais moulu

DUXELLES DE CHAMPIGNONS
2 barquettes de 227 g (8 oz) de champignons blancs
2 échalotes, hachées
2 gousses d'ail, hachées
2 c. à soupe de beurre
180 ml (¾ tasse) de vin blanc
Sel et poivre noir frais moulu

COULIS DE PERSIL À L'AIL
2 bottes de persil plat
180 ml (¾ tasse) d'huile d'olive
1 gousse d'ail
Sel et poivre noir frais moulu

Préchauffer le gril du barbecue au maximum.

Gambas grillées : Mélanger l'huile, l'ail et le persil. Badigeonner les gambas de ce mélange et assaisonner. Griller 2 minutes de chaque côté. Réserver.

Duxelles de champignons : Hacher finement les champignons au robot culinaire. Dans une poêle à feu moyen, faire suer les échalotes et l'ail dans le beurre chaud pendant 2 minutes. Ajouter les champignons et cuire 3 minutes. Déglacer avec le vin blanc et réduire à sec. Saler et poivrer. Réserver.

Coulis de persil : Préparer un bol d'eau glacée. Faire blanchir le persil dans une grande casserole d'eau salée pendant 30 secondes, puis le plonger immédiatement dans l'eau glacée. Bien essorer le persil et le mettre dans le bol du mélangeur. Ajouter l'huile d'olive, l'ail, du sel et du poivre. Réduire en purée pendant 2 minutes seulement. Réserver.

Pour servir, dans des assiettes individuelles, disposer un lit de duxelles. Garnir de gambas grillées et décorer de coulis de persil.

VOUS POUVEZ FAIRE ÇA AVEC DES CREVETTES BLACK TIGER AUSSI, MAIS ATTENTION AU TEMPS DE CUISSON : 1 MINUTE, 1 ½ MINUTE, PAS PLUS ! --- M

UN DES MEILLEURS POISSONS À CHAIR BLANCHE. DOMMAGE QUE LE FLÉTAN SOIT EN VOIE D'EXTINCTION (OUI, ON EST SENSIBLES À ÇA!). AU KITCHEN, ON FAIT NOTRE PART EN ACHETANT DU FLÉTAN ENTIER QUI VIENT DES MARITIMES, OÙ SE PRATIQUE LA PÊCHE SÉLECTIVE ET ÉCOLOGIQUE.

TYPE DE PLAT entrée
PORTIONS 4
PRÉPARATION 20 min
CUISSON 50 min
À BOIRE Sancerre, sauvignon

--- recette de Jean-Philippe ---

FLÉTAN GRILLÉ, LÉGUMES EN PAPILLOTE ET SAUCE BOIS BOUDRAN

4 morceaux de flétan de 225 g (½ lb) chacun

2 c. à soupe d'huile d'olive

Sel et poivre noir frais moulu

LÉGUMES EN PAPILLOTE

12 pommes de terre rattes, coupées en deux

8 carottes jaunes, coupées en deux sur la longueur

1 petit sac d'oignons perlés, pelés

1 barquette de 227 g (8 oz) de champignons blancs, coupés en deux

2 c. à soupe d'huile d'olive

2 c. à soupe de beurre

2 c. à soupe de sauce soya

1 c. à soupe de miel

1 c. à soupe de sambal œlek (sauce aux piments forts)

Sel et poivre noir frais moulu

SAUCE BOIS BOUDRAN

3 échalotes, hachées finement

1 botte de ciboulette, ciselée

½ botte de persil plat, ciselée

2 bottes d'estragon, ciselées

1 gousse d'ail, hachée finement

60 ml (¼ tasse) de vinaigre de vin rouge

180 ml (¾ tasse) de ketchup

1 c. à soupe de sauce Worcestershire

5 gouttes de sauce Tabasco

150 ml (2/3 tasse) d'huile végétale

Sel et poivre noir frais moulu

Préchauffer le gril du barbecue à feu moyen.

Dans un bol, combiner tous les ingrédients de la papillote de légumes et verser le tout dans une grande feuille de papier d'aluminium. Sceller la papillote et cuire au barbecue pendant 45 minutes.

Dans un bol, combiner tous les ingrédients de la sauce Bois Boudran. Mélanger jusqu'à consistance homogène. Réserver à température ambiante. (Au réfrigérateur, cette sauce se conservera jusqu'à 1 semaine environ.)

Retirer la papillote de légumes du barbecue et réserver. Augmenter la température du barbecue à feu vif.

Badigeonner les morceaux de flétan d'huile d'olive. Saler et poivrer. Griller sur le barbecue environ 3 minutes de chaque côté.

Servir avec les légumes et la sauce.

--- Note du chef ---

La sauce est aussi excellente avec du steak ou de la volaille. Faites-en plus!

UNE SAUCE AU KETCHUP? MOI, JE FERAIS PLUTÔT UNE SAUCE AU BEURRE BLANC, UN VELOUTÉ DE POISSON OU MÊME UNE SAUCE BISQUE. --- M

TYPE DE PLAT entrée
PORTIONS 4
PRÉPARATION 30 min
CUISSON 30 min
À BOIRE Afrique du Sud, chardonnay

--- recette de Mathieu ---

SOUPE DE FLÉTAN À L'ÉCHINE DE PORC FUMÉ

100 g (¼ lb) d'échine de porc fumé, en julienne
2 c. à soupe d'huile d'olive
200 g (½ lb) de flétan, coupé en cubes de 1 cm (½ po)
60 ml (¼ tasse) de vin blanc
1 échalote, ciselée
1 épi de maïs frais, égrené
2 pommes de terre à chair jaune, pelées et coupées en macédoine
750 ml (3 tasses) de fumet de poisson, chaud (voir p. 234)
4 feuilles de basilic frais, ciselées
1 c. à soupe d'huile d'olive à l'orange
Sel et poivre noir frais moulu

Dans une poêle à feu vif, saisir la julienne de porc dans 1 c. à soupe d'huile d'olive chaude pendant 1 minute. Retirer le porc, ajouter les cubes de flétan et cuire pendant 2 minutes. Déglacer au vin blanc et réduire pendant 2 minutes. Réserver.

Dans une casserole, suer l'échalote dans le reste de l'huile d'olive chaude pendant 5 minutes. Ajouter les grains de maïs, les pommes de terre et le fumet. Cuire à feu moyen pendant 15 minutes. Ajouter le flétan et le porc réservés, puis cuire encore 5 minutes. Rectifier l'assaisonnement.

Pour servir, verser la soupe dans quatre assiettes creuses. Décorer de basilic et d'huile d'olive à l'orange.

--- Note du chef---
L'échine de porc fumé est généralement vendue dans les boucheries. Si vous n'en trouvez pas, un jambon fumé à chaud fera aussi très bien l'affaire.

Ajoutez 500 ml (2 tasses) de crème et vous m'en reparlerez! ---jp

TYPE DE PLAT principal
PORTIONS 4
PRÉPARATION 20 min
CUISSON 50 min
À BOIRE Ontario, chardonnay

--- recette de Jean-Philippe ---

FLÉTAN ENTIER, MAÏS GRILLÉ ET TOMATES CONFITES POUR MARIE-CLAUDE

1 bébé flétan entier de l'Île-du-Prince-Édouard (d'élevage, pour Marie-Claude)
2 c. à soupe d'huile d'olive
2 citrons, tranchés finement
½ botte de thym
1 oignon rouge, tranché finement
Sel et poivre noir frais moulu

MAÏS GRILLÉ
2 c. à soupe d'huile d'olive
Pincée de paprika fumé
4 épis de maïs, en tronçons de 2,5 cm (1 po)
Sel et poivre noir frais moulu

TOMATES CERISES EN VIGNE CONFITES
4 paquets de tomates cerises en vigne
Quantité suffisante d'huile d'olive
2 gousses d'ail, hachées
2 branches de thym
Sel et poivre noir frais moulu

Préchauffer le four à 180 °C (350 °F).

Déposer les tomates cerises dans un plat en pyrex. Verser suffisamment d'huile d'olive pour les couvrir. Ajouter l'ail, le thym, du sel et du poivre. Cuire au four pendant 10 minutes, puis laisser tiédir les tomates dans l'huile à température ambiante.

Réduire la température du four à 160 °C (325 °F). Enlever la peau du flétan (ou demander au poissonnier de le faire). Disposer la moitié des tranches de citron dans une grande feuille d'aluminium. Y déposer le flétan, puis recouvrir du reste de citron et 2 c. à soupe d'huile d'olive. Refermer la feuille et sceller la papillote. Cuire au four pendant 35 minutes.

Préchauffer le gril du barbecue à feu moyen-élevé. Dans un bol, combiner l'huile d'olive, le paprika fumé, du sel et du poivre. Passer les tronçons de maïs dans ce mélange. Cuire sur le barbecue pendant 2 minutes de chaque côté (ou badigeonner tout simplement d'huile d'olive et cuire entiers).

Servir le flétan avec le maïs grillé et les tomates confites encore tièdes. Si désiré, remplacer les tomates confites par la salade de tomates du potager Mont-Rouge (voir p. 218) ou les tomates grillées à la feta (voir p. 222).

--- Note du chef ---

Pour mon amie Marie-Claude : notre flétan vient de Halibut PEI & Morning Star Fisheries. Mon blé d'Inde vient de Saint-Rémi et mes tomates, du Verger Mont-Rouge.

MONTREAL

TYPE DE PLAT principal
PORTIONS 4
PRÉPARATION 45 min
CUISSON 1 h
À BOIRE Bandol, blanc

--- recette de Mathieu ---

FLÉTAN À LA PLANCHA, SAUCE AUX MOULES ET PIPERADE

60 ml (¼ tasse) de vermouth
60 ml (¼ tasse) de vin blanc
40 moules communes
125 ml (½ tasse) de crème 35 %
1 gousse d'ail entière
2 branches de thym
4 pavés de flétan de 200 g (½ lb) chacun
1 c. à soupe d'huile d'olive

PIPERADE À MULLER
1 oignon espagnol, émincé
2 poivrons de votre choix, émincés
3 tranches de bacon, émincées
1 gousse d'ail entière
1 branche de thym
1 branche de romarin
60 ml (¼ tasse) de sauvignon blanc
1 pincée de piment d'Espelette

ÉQUIPEMENT
1 plancha

Dans une casserole à fond épais, faire suer l'oignon, les poivrons et le bacon à feu doux. Ajouter l'ail, le thym et le romarin. Déglacer au sauvignon blanc et faire cuire pendant 45 minutes. Ajouter du piment d'Espelette, au goût.

Dans une autre casserole, faire bouillir le vermouth et le vin blanc. Ajouter les moules. Cuire à couvert jusqu'à ce qu'elles ouvrent (1 ou 2 minutes). Retirer les moules dès qu'elles sont ouvertes et réserver. Réduire le jus de cuisson aux trois quarts à feu vif. Incorporer la crème. Ajouter la gousse d'ail entière et le thym. Réduire encore le jus de cuisson de moitié.

Préchauffer le four à 150 °C (300 °F). Y faire chauffer la plancha.

Enrober les pavés de flétan d'huile d'olive et déposer sur la plancha, côté chair dessous. Le temps de cuisson dépendant de l'épaisseur du poisson, prévoir environ 2 ½ minutes par centimètre d'épaisseur (ou 6 ½ minutes par pouce).

Remettre les moules dans la sauce et faire bouillir 1 minute pour réchauffer. Servir le flétan sur la sauce aux moules, avec la piperade.

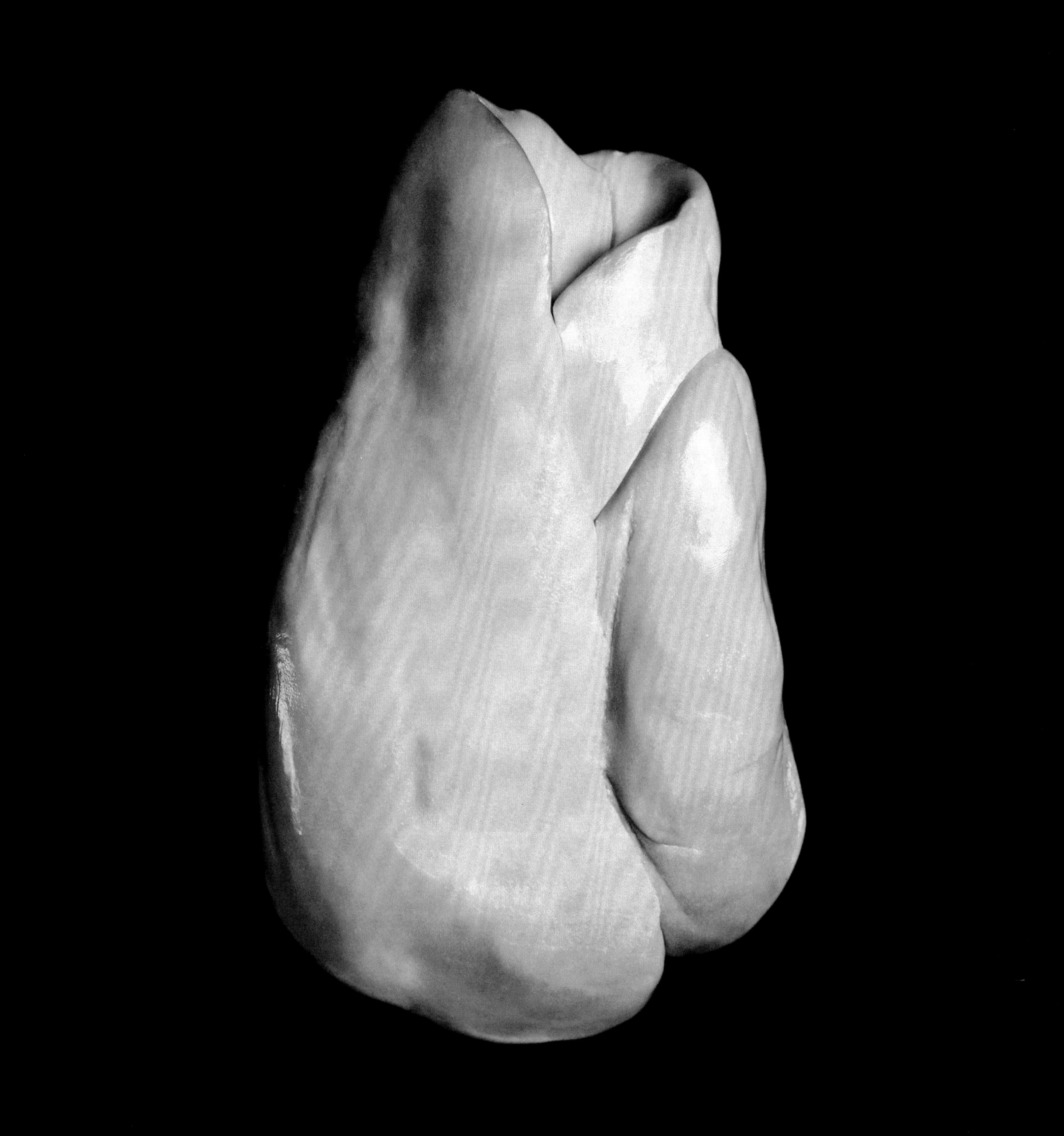

NON, CE N'EST PAS *POLITICALLY CORRECT*. N'EMPÊCHE QUE NOS CLIENTS **AIMENT TELLEMENT LE FOIE GRAS QU'ON POURRAIT EN METTRE PARTOUT. LE SEUL PROBLÈME :** ON N'ARRIVE PAS À SE DÉCIDER SI ON LE PRÉFÈRE POÊLÉ OU AU TORCHON.

TYPE DE PLAT entrée
PORTIONS 4
PRÉPARATION 25 min
CUISSON 3 h 30
À BOIRE Muscat de rivesaltes

--- recette de Mathieu ---

PARFAIT DE FOIE GRAS, COMPOTE D'OIGNONS CARAMÉLISÉS

PARFAIT DE FOIE GRAS

250 ml (1 tasse) de crème 35 %
1 c. à café de miel
1 gousse d'ail, hachée
1 branche de thym
125 g (¼ lb) de foie gras
1 œuf
2 jaunes d'œufs
Sel et poivre noir frais moulu

COMPOTE D'OIGNONS CARAMÉLISÉS

1 c. à café de beurre
1 oignon, émincé
1 gousse d'ail entière
1 branche de thym
1 c. à café de sucre
Sel et poivre noir frais moulu

Préchauffer le four à 180 °C (350 °F).

Parfait de foie gras : Dans une casserole, porter la crème à ébullition et la retirer du feu dès qu'elle bout. Verser le miel et mélanger. Ajouter l'ail, le thym et laisser infuser. Couper le foie gras en cubes de 1 cm (½ po). Saler et poivrer. Transférer le foie gras dans un bol. Ajouter l'œuf entier et les jaunes. À l'aide d'un pied-mélangeur, broyer ensemble le foie gras et les œufs, en ajoutant graduellement le mélange de crème et d'aromates pour rendre le foie gras liquide. Assaisonner de nouveau, puis passer au tamis pour éliminer les grumeaux.

Verser le mélange dans un ramequin ou une verrine et déposer dans un plat profond allant au four. Visser fermement le couvercle. Verser de l'eau chaude dans le plat jusqu'à la moitié du pot et cuire au four pendant 25 minutes. Retirer le ramequin du bain-marie et refroidir d'abord à température ambiante, puis réserver au réfrigérateur.

Compote d'oignons caramélisés : Dans une casserole à fond épais, faire fondre le beurre. Ajouter l'oignon, l'ail, le thym, le sucre, ainsi qu'une pincée de sel et de poivre. Faire compoter à feu doux pendant 3 heures, en remuant régulièrement pour empêcher l'oignon de coller. Retirer l'ail et le thym, rectifier l'assaisonnement et refroidir au réfrigérateur.

Servir le parfait de foie gras bien froid, accompagné de la compote d'oignons caramélisés.

--- Note du chef ---

À la fin de la cuisson, le mélange devrait avoir la même texture qu'une crème brûlée.

Malgré tout le gras qu'il y a là-dedans, c'est d'une légèreté totale.

---JP

TYPE DE PLAT entrée
PORTIONS 4
PRÉPARATION 30 min
CUISSON 35 min
REPOS 12 h
À BOIRE Monbazillac

--- recette de Jean-Philippe ---

POT DE FOIE GRAS CUIT AU LAVE-VAISSELLE, GELÉE DE MUSCAT AU POIVRE LONG

300 g (2/3 lb) de foie gras, à température ambiante
Sucre, au goût
2 c. à café de muscat
Sel et poivre noir frais moulu, au goût

GELÉE DE MUSCAT AU POIVRE LONG
60 ml (¼ tasse) de muscat
810 ml (3 ¼ tasses) d'eau froide
1 c. à café de sucre
½ baie de poivre long, torréfiée (voir la technique p. 54) et moulue
3 feuilles de gélatine

ÉQUIPEMENT
1 lave-vaisselle industriel ou voir la note du chef ci-dessous.

Enlever délicatement les veines du foie gras à l'aide du dos d'une cuillère. Déposer le foie gras dans un plat de verre, puis assaisonner de sel, de poivre et de sucre. Ajouter le muscat. Recouvrir de pellicule plastique pour ne pas que le foie gras s'oxyde. Laisser mariner 12 heures au réfrigérateur.

Pendant ce temps, préparer la gelée de muscat. Dans une casserole à fond épais, faire bouillir le muscat, 60 ml (¼ tasse) d'eau froide, le sucre et le poivre long. Retirer du feu et réserver à température ambiante pendant 30 minutes pour laisser infuser le tout.

Entre-temps, faire tremper les feuilles de gélatine dans le reste de l'eau froide pendant 5 minutes. Retirer les feuilles en les égouttant bien. Ajouter la gélatine au mélange de muscat tiédi et dissoudre à l'aide d'un fouet. Rectifier l'assaisonnement. Faire refroidir au moins 2 heures ou jusqu'à ce que la gelée fige.

Après 12 heures, façonner le foie gras dans quatre pots Mason, en s'assurant de bien presser pour éliminer toute poche d'air. Refermer en vissant bien. Cuire pendant un cycle au lave-vaisselle. Laisser refroidir. Servir froid, avec la gelée de muscat et du pain brioché.

--- Note du chef ---

Eh oui, pour cette recette, il vous faut un lave-vaisselle comme ceux des restos ! À défaut d'avoir cet appareil, utilisez la technique du bain-marie du Parfait de foie gras (p. 124) et cuire au four à 135 °C (275 °F) pendant 30 minutes.

LES RECETTES DE FOIE GRAS, C'EST NOS CLASSIQUES ! LES RECETTES DE NOS DÉBUTS ET QUE NOS CLIENTS NOUS REDEMANDENT ! --- M

TYPE DE PLAT entrée
PORTIONS 4
PRÉPARATION 15 min
CUISSON 30 min
À BOIRE Jurançon

--- recette de Mathieu ---

FOIE GRAS POÊLÉ, RÉDUCTION DE VIN ROUGE AUX FRUITS CONFITS

4 escalopes de foie gras de 100 g (¼ lb) chacune
4 tranches de pain d'épices du commerce de ½ cm d'épaisseur

RÉDUCTION DE VIN ROUGE AUX FRUITS CONFITS

750 ml (3 tasses) de vin rouge (cabernet-sauvignon)
60 ml (¼ tasse) de miel
150 g (¾ tasse) de sucre
2 gousses d'ail entières
2 branches de thym
1 feuille de laurier
40 g (¼ tasse) de raisins de Corinthe séchés
40 g (¼ tasse) d'abricots séchés
40 g (¼ tasse) de canneberges séchées
Sel et poivre noir frais moulu, au goût

Dans une casserole à fond épais, mettre le vin rouge, le miel, le sucre, les gousses d'ail, les branches de thym et le laurier, puis porter à ébullition. Laisser réduire jusqu'à consistance sirupeuse, afin d'obtenir environ 250 ml (1 tasse) de liquide. Passer au tamis fin pour retirer l'ail, le thym et le laurier. Laisser tiédir à température ambiante.

Couper les fruits séchés pour qu'ils soient tous de même dimension. Les ajouter à la réduction de vin rouge quand celle-ci sera tiède seulement. (Si le liquide est trop chaud, les fruits cuiront et perdront leur texture. Si le liquide est trop froid, ils ne se réhydrateront pas.)

Préchauffer le four à 200 °C (400 °F).

Faire chauffer une poêle à fond épais. Quand elle est très chaude, y déposer une escalope de foie gras. (Si vous voulez cuire les quatre escalopes en même temps, prendre quatre poêles différentes afin de conserver chaque poêle à la bonne chaleur.) Cuire chaque escalope en ajustant l'intensité du feu au fur et à mesure de la cuisson, pour obtenir une belle caramélisation en surface tout en évitant que l'huile qui se dégage du foie gras fume. Finir la cuisson au four (5 minutes au maximum), le temps de cuisson étant déterminé par l'épaisseur des escalopes.

Un des plus beaux accords mets et vin que je connaisse! ---jp

TYPE DE PLAT entrée
PORTIONS 4
PRÉPARATION 10 min
CUISSON 45 min
À BOIRE Loire, Coteau du Layon

--- recette de Jean-Philippe ---

FOIE GRAS ENTIER RÔTI AUX POMMES CARAMÉLISÉES

1 lobe entier de foie gras de 500 g (1 1/8 lb)

1 pomme Cortland, coupée en quartiers

1 c. à café de sucre

250 ml (1 tasse) de fond brun de veau, réduit en demi-glace, (voir p. 235)

1 c. à café de beurre

Préchauffer le four à 200 °C (400 °F).

Faire chauffer une poêle à fond épais. Quand elle est très chaude, y déposer le foie gras. Faire cuire 5 minutes de chaque côté, en évitant de bouger le foie gras pour garder la chaleur de la poêle et obtenir une belle coloration. Finir la cuisson au four environ 20 minutes ou jusqu'à une cuisson à cœur de 60 °C (140 °C) au thermomètre à viande. Retirer du four et laisser reposer sur du papier absorbant.

Dégraisser la poêle et la remettre sur le feu. Ajouter les pommes et les faire colorer légèrement. Ajouter le sucre et faire caraméliser pendant 5 minutes en brassant souvent. Mouiller avec le fond brun de veau réduit et chauffer pendant 1 ou 2 minutes. Ajouter le beurre et, à l'aide d'un fouet, monter la sauce jusqu'à ce qu'elle soit lisse et onctueuse.

Trancher le foie gras et servir nappé de pommes caramélisées en sauce.

--- Note du chef ---

Vous pouvez remplacer la Cortland par une bonne Granny Smith.

LES VRAIS BONS VIVANTS MANGENT ÇA COMME DESSERT! --- M

TOUS LES QUÉBÉCOIS SEMBLENT ATTENDRE LA SAISON DU HOMARD AVEC IMPATIENCE. QUAND IL ARRIVE DES ÎLES, ON NE MANGERAIT RIEN D'AUTRE. LE HOMARD EST COMPLIQUÉ À DÉCORTIQUER, MAIS, AU MOINS, IL VAUT LE TRAVAIL!

TYPE DE PLAT entrée
PORTIONS 4
PRÉPARATION 30 min
CUISSON 2 h 30 min
À BOIRE Californie, viognier

--- recette de Mathieu ---

BISQUE DE HOMARD À LA VANILLE ET AU CITRON VERT

2 c. à soupe d'huile d'olive
2 homards, coupés en morceaux, avec la carapace
1 oignon, émincé
1 carotte, émincée
2 branches de céleri, émincées
2 gousses d'ail
1 c. à soupe de pâte de tomate
1 branche de thym
1 feuille de laurier
30 ml (1 oz) de vodka
2 litres (8 tasses) d'eau
60 ml (¼ tasse) d'huile de pépins de raisin
1 gousse de vanille, coupée en deux sur la longueur
500 ml (2 tasses) de crème 35 %
Le jus de 1 citron vert
Sel et poivre noir frais moulu

Dans une grande casserole, faire chauffer l'huile d'olive. Bien saisir les carcasses de homard. Ajouter l'oignon, la carotte, le céleri, l'ail, la pâte de tomate, le thym et le laurier. Déglacer avec la vodka. Mouiller avec l'eau.

Dans une autre casserole, faire chauffer l'huile de pépins de raisin et les demi-gousses de vanille jusqu'à 60 °C (140 °F). Retirer les demi-gousses et réserver l'huile obtenue.

Ajouter les demi-gousses de vanille aux carcasses de homard. Laisser mijoter 2 heures. Passer au tamis fin et retourner le liquide de cuisson dans la casserole. Faire réduire jusqu'à l'obtention de 250 ml (1 tasse) de bisque. Ajouter la crème et réduire de moitié. Rectifier l'assaisonnement. Prélever la chair des carcasses de homard.

À l'aide d'un fouet, émulsionner l'huile vanillée et le jus de citron vert pour obtenir une vinaigrette.

Verser la bisque dans des assiettes creuses. Décorer de chair de homard et d'un filet de vinaigrette.

--- Note du chef ---

Pour ne pas brouiller le liquide, évitez de le faire bouillir. Faites-le frémir pendant la cuisson, pas plus!

Oubliez la vanille et la vodka et remplacez ça par 60 ml (2 oz) de ricard. Après, buvez le reste de la bouteille en jouant à la pétanque pendant que ça cuit. ---jp

TYPE DE PLAT entrée
PORTIONS 4
PRÉPARATION 1 h
CUISSON 45 min
REPOS 4 h
À BOIRE Australie, sauvignon

--- recette de Mathieu ---

RAVIOLIS DE HOMARD, PURÉE DE RACINES DE PERSIL

HUILE DE PERSIL
250 ml (1 tasse) d'huile de pépins de raisin
1 botte de persil plat (italien), effeuillée et ciselée
1 gousse d'ail
1 pincée de sel

PÂTE À RAVIOLIS
125 g (1 tasse) de farine
1 œuf
1 pincée de sel
60 ml (¼ tasse) d'eau
2 pistils de safran
3 c. à café d'huile d'olive

PURÉE DE RACINES DE PERSIL
2 litres (8 tasses) d'eau
10 racines de persil, pelées et coupées grossièrement
1 petite pomme de terre à chair jaune, pelée et coupée grossièrement
1 c. à café de gros sel
1 gousse d'ail
1 branche de thym
50 g (¼ tasse) de beurre, en petits dés
Sel et poivre noir frais moulu

FARCE À RAVIOLIS
1 homard, cuit et décortiqué
2 gousses d'ail confites*
3 tiges de ciboulette, ciselées
½ échalote, ciselée
1 œuf battu

** Technique pour confire les gousses d'ail: Recouvrir une tête d'ail d'huile d'olive et faire chauffer à feu très doux pendant 30 minutes.*

Huile de persil: Dans un bol, combiner l'huile de pépins de raisin, le persil, l'ail et le sel. À l'aide d'un pied-mélangeur, broyer le tout. Passer dans un filtre à café. Verser dans un contenant hermétique et laisser reposer l'huile pendant 3 heures au réfrigérateur.

Pâte à raviolis: Au robot culinaire, combiner la farine, l'œuf et le sel. Faire tourner jusqu'à consistance homogène. Dans une poêle, faire bouillir l'eau et le safran. Laisser évaporer jusqu'à ce qu'il reste 3 c. à café d'eau seulement. Laisser refroidir. Ajouter l'eau à la pâte dans le robot culinaire et tourner 1 minute. Ajouter l'huile d'olive et tourner encore 1 minute. Déposer la pâte sur un plan de travail et pétrir à la main pendant 1 minute. Laisser reposer au réfrigérateur pendant 1 heure.

Purée de racines de persil: Dans une casserole, mettre l'eau, les racines de persil, la pomme de terre, le gros sel, l'ail et le thym. Porter à ébullition et dès que l'eau bout, réduire le feu pour laisser mijoter 15 minutes. Retirer le thym et passer le reste des ingrédients au chinois (ou au tamis fin). Réduire en purée au robot culinaire, en ajoutant les cubes de beurre petit à petit. Rectifier l'assaisonnement.

Farce à raviolis: Hacher la chair de homard et mettre dans un bol. Ajouter les gousses d'ail confites, la ciboulette, l'échalote et 3 c. à café de purée de racines de persil, jusqu'à l'obtention d'une farce homogène.

Confection des raviolis: Passer la pâte à raviolis au laminoire à la graduation 1 pour obtenir 2 longues bandes égales. Déposer un peu de farce sur la première bande à intervalles réguliers et recouvrir de la deuxième bande de pâte. Couper les raviolis à l'emporte-pièce et, à l'aide d'un pinceau, badigeonner le contour intérieur d'œuf battu pour bien sceller la pâte. Cuire dans une grande casserole d'eau bouillante salée pendant 3 minutes.

Pour dresser les assiettes, dessiner des points de purée de racines de persil ici et là. Y déposer les raviolis. Décorer d'un trait d'huile de persil.

--- Note du chef ---

Faites attention de ne pas trop pétrir la pâte. Ça la rendrait élastique et ce n'est pas du tout ce qu'on veut ici.

TYPE DE PLAT principal
PORTIONS 4
PRÉPARATION 10 min
CUISSON 30 min
À BOIRE Bourgogne, chardonnay

--- recette de Jean-Philippe ---

HOMARD POCHÉ AU BEURRE BLANC

4 homards vivants de 750 g (1 ½ lb) chacun
Gros sel

LINGUINE À L'ENCRE DE SEICHE
1 paquet de linguine à l'encre de seiche
2 c. à soupe de beurre
1 c. à soupe d'huile de truffe
Sel et poivre du moulin

BEURRE BLANC
450 g (1 lb) de beurre non salé
2 échalotes, hachées
500 ml (2 tasses) de vin blanc
500 ml (2 tasses) de crème 35 %
Sel et poivre noir frais moulu

MACÉDOINE DE LÉGUMES
1 c. à soupe de beurre
1 oignon, coupé en macédoine
2 carottes, coupées en macédoine
1 tomate, coupée en macédoine
2 branches de céleri, coupées en macédoine

Amener à ébullition une grande marmite d'eau très salée. Prendre les homards deux par deux et, à l'aide d'une ficelle, les attacher ventre contre ventre et la queue bien droite. Cuire chaque duo de homards pendant 5 minutes. Laisser refroidir à température ambiante, puis décortiquer et réserver.

Cuire les pâtes al dente dans l'eau salée. Égoutter et réserver.

Beurre blanc : Dans une casserole à feu moyen, faire fondre 1 c. à soupe de beurre. Y cuire les échalotes 1 minute. Ajouter le vin blanc et réduire aux trois quarts. Incorporer la crème et réduire de moitié. Retirer du feu et incorporer le reste du beurre, petit à petit et en fouettant énergiquement. Saler et poivrer.

Macédoine de légumes : Dans une poêle, faire fondre le beurre à feu moyen. Ajouter l'oignon et cuire 1 minute. Ajouter les légumes et cuire 3 minutes. Saler, poivrer. Réserver au chaud.

Linguine à l'encre de seiche : Faire fondre le beurre dans une poêle. Ajouter les linguine réservées. Saler, poivrer. Ajouter l'huile de truffe et bien mélanger.

Pour servir, réchauffer la chair de homard dans le beurre blanc pendant 5 minutes, sans faire bouillir. Accompagner des linguine et de la macédoine de légumes.

PRODUIT DU CANADA
SPECTRA

TYPE DE PLAT principal
PORTIONS 2
PRÉPARATION 30 min
CUISSON 1 h 15
À BOIRE Selon les recettes

--- recette de Jean-Philippe ---

MONSTER LOBSTER POUR DEUX

1 homard de 5 kg (10 lb)
Sel de mer

COUDES TEMPURA
30 g (¼ tasse) de farine tout usage
240 g (2 tasses) de farine à tempura
½ cannette de Seven-Up
Sel et poivre noir frais moulu
Huile végétale (pour la friteuse)
Mayonnaise à l'ail rôti (voir recette p. 99)
À BOIRE Champagne

PINCE GAUCHE MAC'N'CHEESE
2 c. à soupe de beurre
2 c. à soupe de farine tout usage
500 ml (2 tasses) de lait
1 oignon, pelé et piqué de clous de girofle
100 g (¼ lb) de pancetta, en lardons
8 oignons cipollinis, en quartiers
1 paquet (300 g) de macaronis, cuits
225 g (½ lb) de fromage Victor et Berthold, en tranches
Sel et poivre noir frais moulu
À BOIRE Afrique du Sud, chenin blanc

Commencer par séparer le homard en morceaux, soit les pinces d'une part et la queue d'autre part. Réserver les coudes. Dans une casserole d'eau bouillante très salée, faire pocher les pinces 5 minutes. Retirer les pinces, déposer la queue dans l'eau bouillante et faire pocher 10 minutes. Réserver.

Préchauffer l'huile de la friteuse à 190 °C (375 °F).

Coudes tempura : Dans une grande assiette creuse, déposer la farine tout usage. Dans une deuxième assiette, combiner la farine à tempura avec le Seven-Up. Assaisonner le contenu des deux assiettes. Décortiquer les coudes de homard et les passer dans la farine tout usage, puis dans le mélange à tempura. Faire frire 1 ou 2 minutes, jusqu'à ce que la pâte soit croustillante et dorée. Égoutter sur un papier absorbant et accompagner de mayonnaise à l'ail rôti.

Pince gauche Mac'n'Cheese : Dans une casserole à feu doux, faire fondre le beurre et saupoudrer de farine. Cuire 1 ou 2 minutes en mélangeant pour obtenir un roux. Incorporer graduellement le lait en fouettant. Ajouter l'oignon entier et cuire pendant 20 minutes à feu doux.

Pendant ce temps, dans une autre casserole, faire revenir les lardons de pancetta. Ajouter les cipollinis et cuire 5 minutes. Retirer l'oignon piqué de la béchamel et ajouter au mélange de pancetta. Couper en morceaux la pince gauche du homard et l'ajouter à la béchamel en même temps que les macaronis cuits. Verser le tout dans des ramequins et recouvrir de fromage. Cuire sous le gril du four pendant 2 minutes ou jusqu'à coloration.

SUITE... MONSTER LOBSTER POUR DEUX

NAVARIN DE PINCE DROITE
4 pommes de terre grelots, en quartiers
4 carottes boules
4 petites rabioles (navets blancs)
1 botte d'asperges (la tête seulement)
1 barquette de champignons blancs
2 c. à soupe d'huile d'olive
2 c. à soupe de beurre
1 litre (4 tasses) de bisque de homard*
1 botte de ciboulette, ciselée
2 échalotes, émincées
Sel et poivre noir frais moulu

À BOIRE St-Aubin, chardonnay

** Utiliser la recette de bisque à la page 135, en remplaçant la vodka par 250 ml (1 tasse) de vin blanc. Réduire ce qu'il faut pour obtenir 1 litre (4 tasses) de bisque.*

QUEUE SURF'N'TURF DE LA MORT
225 g (½ lb) de beurre
1 gousse d'ail, hachée
1 côte de bœuf (voir recette p. 39)
2 escalopes de foie gras, poêlées (facultatif)
Quelques tranches minces de truffe noire (facultatif)
Sel et poivre noir frais moulu

À BOIRE Saint-Émilion, cabernet-merlot

Navarin de pince droite : Dans une grande casserole, faire revenir les légumes dans l'huile et le beurre à feu moyen. Incorporer la bisque et cuire encore 5 minutes, à feu doux. Décortiquer et couper la pince droite en cubes, puis l'incorporer au mélange. Ajouter la ciboulette et les échalotes. Assaisonner au goût et servir avec des croûtons de pain à l'ail, si désiré.

Queue surf'n'turf de la mort : Dans un poêlon, faire chauffer le beurre. Décortiquer et ajouter la queue entière de homard, l'ail, du sel et du poivre, puis faire pocher doucement 10 minutes. Servir la queue directement sur la côte de bœuf que vous trancherez à table. Pour mourir vraiment, garnir de foie gras et de truffes !

--- Note du chef ---

Évidemment, vous pouvez prendre des petits homards de 1 kg (2 lb) pour faire chacune des recettes au lieu d'un gros monstre !

MOI, J'EN PRENDRAIS 10 DE ½ KG (1 LB) ET, SURTOUT, JE CONSIDÉRERAIS QU'UNE RECETTE PAR SOIR, C'EST BIEN ASSEZ !

--- M

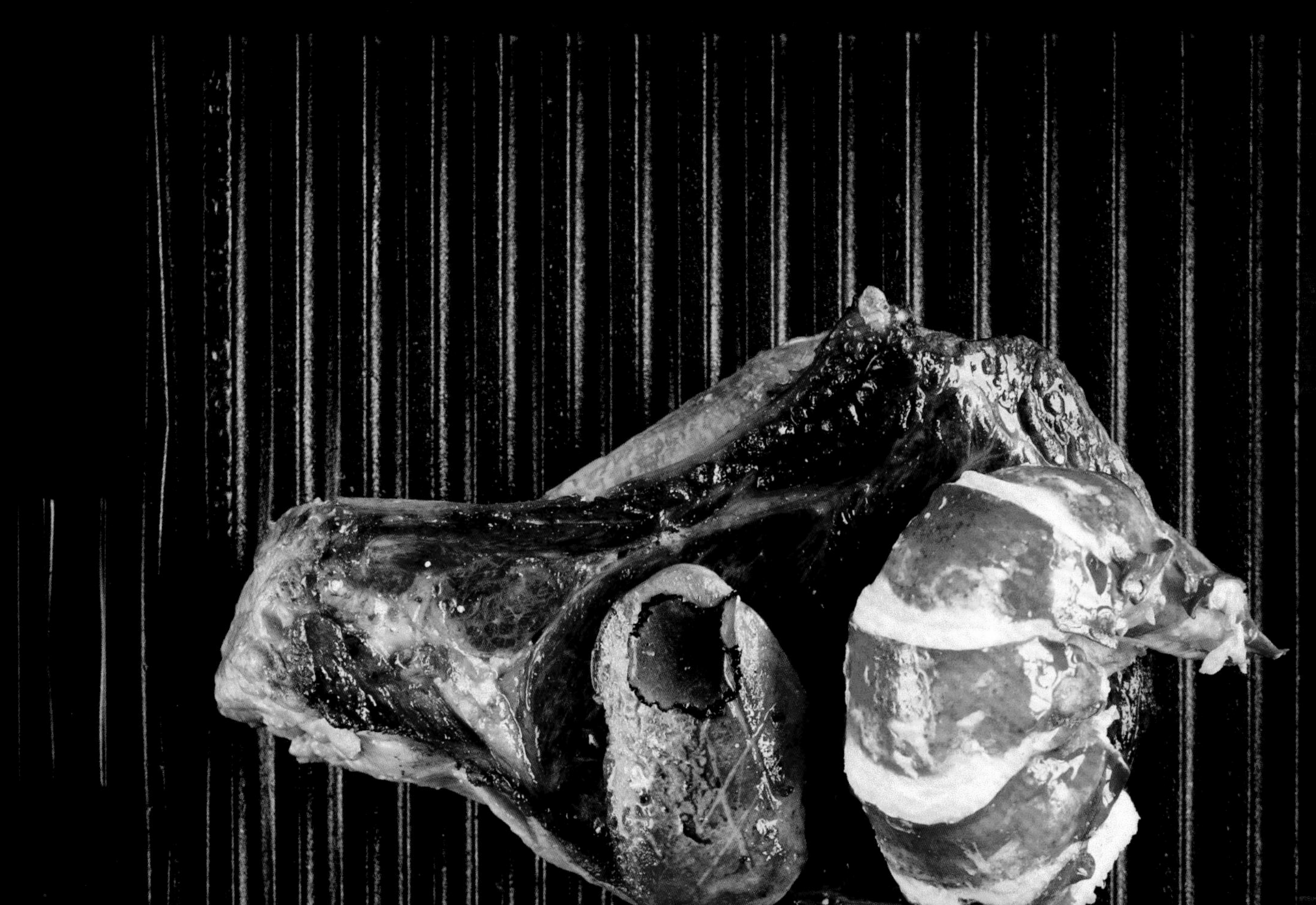

UN AUTRE POISSON EN VOIE D'EXTINCTION... AVEC SA CHAIR FLOCONNEUSE QUI S'IMPRÈGNE DE SAUCE, ON AIME TELLEMENT LA MORUE NOIRE, POÊLÉE OU WRAPPÉE, QU'ELLE MÉRITAIT UNE SECTION RIEN QU'À ELLE. SOLUTION DURABLE, SVP!

TYPE DE PLAT entrée
PORTIONS 2
PRÉPARATION 10 min
CUISSON 30 min
À BOIRE Nouvelle-Zélande, sauvignon

--- recette de Jean-Philippe ---

MORUE NOIRE POÊLÉE, SALADE DE FENOUIL AU YUZU

- 2 c. à soupe d'huile d'olive
- 450 g (1 lb) de morue noire d'Alaska avec la peau
- 2 c. à soupe de beurre
- 1 gousse d'ail entière
- 1 branche de thym
- Sel et poivre noir frais moulu

SALADE DE FENOUIL AU YUZU

- 1 c. à soupe de caviar de mujol
- 2 c. à soupe de jus de yuzu (ou de jus de citron vert)
- 2 c. à soupe d'huile d'olive extra-vierge
- 2 échalotes, émincées
- ½ botte de ciboulette, ciselée
- 2 bulbes de fenouil, tranchés à la mandoline
- Sel et poivre noir frais moulu

Dans un grand bol, combiner tous les ingrédients de la salade, sauf le fenouil, et fouetter pour obtenir une vinaigrette. Ajouter le fenouil et réserver.

Dans une poêle antiadhésive froide, verser l'huile d'olive et y déposer la morue, côté peau dessous. Allumer le feu à vif et faire cuire la morue pendant 2 minutes. Réduire le feu à moyen, puis incorporer le beurre, l'ail et le thym. Cuire encore 2 minutes ou jusqu'à ce que la peau soit croustillante. Tourner le poisson et cuire 1 minute. Assaisonner.

Servir la morue sur un nid de salade de fenouil.

--- Note du chef ---

Quand on n'a pas de yuzu sous la main, on peut tout simplement utiliser du jus de citron vert.

ÇA, C'EST LE GRAND CLASSIQUE DE JP. PERSONNELLEMENT, JE L'AI ASSEZ VU, MAIS J'AVOUE QUE C'EST TOUJOURS BON. --- M

MENU TABLE D'HÔTE
(incluant entrée, plat et dessert)

TYPE DE PLAT entrée
PORTIONS 4
PRÉPARATION 30 min
CUISSON 1 h 30
REPOS 24 h
À BOIRE Portugal, vin blanc

--- recette de Mathieu ---

BRANDADE DE MORUE, ŒUF MIROIR ET PURÉE D'OIGNONS CARAMÉLISÉS

BRANDADE DE MORUE
400 g (2 tasses) de sucre
500 g (2 ½ tasses) de gros sel
4 branches de thym
½ botte de persil
5 gousses d'ail, pelées
1 piment oiseau
1 filet de morue commune de 1 kg (2 lb) (préférablement morue de Chatham)
1 litre (4 tasses) de lait 2 %
1 pomme de terre moyenne, en cubes

PURÉE D'OIGNONS CARAMÉLISÉS
4 gros oignons, émincés finement
2 c. à soupe de beurre
1 gousse d'ail, hachée
1 branche de thym
250 ml (1 tasse) de fond brun de veau (voir p. 235)
Sel et poivre noir frais moulu

GARNITURES
60 g (½ tasse) de farine
1 c. à soupe de poudre de cari
1 c. à café de sel
1 échalote, émincée
Beurre, au goût
4 œufs
10 tiges de ciboulette, ciselées
10 feuilles de jeunes épinards, émincées
Huile végétale (pour la friteuse)

Pour préparer la brandade de morue, combiner le sucre, le gros sel, le thym, le persil, l'ail et le piment oiseau dans un robot culinaire. Réduire en pâte pendant 3 minutes. Enrober la morue de ce mélange, transférer dans un contenant hermétique et réfrigérer 24 heures.

Après 24 heures, préparer la purée d'oignons caramélisés. Dans une casserole à fond épais, à feu doux, faire caraméliser les oignons dans le beurre avec l'ail et le thym pendant 1 heure. Chaque fois que les oignons adhèrent au fond de la casserole, déglacer avec un peu de fond brun de veau. Une fois caramélisés, retirer le thym et réduire en purée à l'aide d'un pied-mélangeur. Assaisonner et réserver.

Entre-temps, rincer rapidement la morue à l'eau froide. Couper grossièrement en cubes de 5 cm (2 po). Dans une casserole de taille moyenne, faire chauffer le lait à feu doux. Y faire pocher la morue et les cubes de pomme de terre pendant 20 minutes. Égoutter en réservant le lait. Passer la morue et la pomme de terre au robot culinaire jusqu'à consistance homogène. Ajouter un peu de lait pour détendre la purée, au besoin.

Préchauffer l'huile dans la friteuse à 180 °C (350 °F).

Dans un bol, à l'aide d'un fouet, mélanger la farine, le cari et le sel. Ajouter l'échalote et mélanger pour bien l'enrober de farine. Frire 1 minute et réserver sur un papier absorbant.

Dans un poêlon, faire chauffer le beurre et y cuire les 4 œufs au miroir.

Dans un bol, faire une salade avec les échalotes frites, la ciboulette et les épinards.

Pour servir, à l'aide d'un emporte-pièce, créer des étages successifs de brandade, d'œuf miroir et de salade. Garnir de purée d'oignons caramélisés.

On s'entend qu'une vraie brandade, c'est fait avec de la morue salée !
--- JP

TYPE DE PLAT principal
PORTIONS 4
PRÉPARATION 20 min
CUISSON 45 min
À BOIRE Jura, pinot noir

--- recette de Jean-Philippe ---

MORUE DE CHATHAM POÊLÉE, BEIGNETS DE SALSIFIS ET CONCASSÉ DE TOMATES

2 c. à soupe d'huile d'olive
4 filets de morue de 225 g (½ lb) chacun, sans la peau
2 c. à soupe de beurre
1 gousse d'ail entière
1 branche de thym
Sel et poivre noir frais moulu

BEIGNETS DE SALSIFIS
Le jus de 1 citron
4 grands salsifis
30 g (¼ tasse) de farine tout usage
240 g (2 tasses) de farine à tempura
½ cannette de Seven-Up
Sel et poivre noir frais moulu
Huile végétale (pour la friteuse)

CONCASSÉ DE TOMATES
12 tomates italiennes, coupées en deux
60 ml (¼ tasse) d'huile d'olive
2 c. à soupe de miel
2 échalotes, ciselées
½ botte de ciboulette, ciselée
½ botte de basilic, ciselée
Sel et poivre noir frais moulu

Morue de Chatham poêlée : Dans une poêle antiadhésive froide, verser l'huile d'olive et y déposer la morue. Saler et poivrer. Allumer le feu à vif et faire cuire la morue pendant 2 minutes. Réduire le feu à moyen, puis incorporer le beurre, l'ail et le thym. Cuire encore 2 minutes, tourner et cuire 1 minute.

Beignets de salsifis : Verser le jus de citron dans un bol d'eau froide. Éplucher les salsifis et les réserver dans le bol d'eau citronnée au fur et à mesure. Dans une grande casserole d'eau bouillante salée, faire cuire les salsifis jusqu'à ce qu'ils soient tendres mais croquants.

Préchauffer l'huile de la friteuse à 190 °C (375 °F).

Dans une grande assiette creuse, déposer la farine tout usage. Dans une deuxième assiette, combiner la farine à tempura avec le Seven-Up. Assaisonner le contenu des deux assiettes. Passer les salsifis dans la farine tout usage, puis dans le mélange à tempura. Faire frire 1 ou 2 minutes, jusqu'à ce que la pâte soit croustillante et dorée. Égoutter sur un papier absorbant et réserver au chaud.

Préchauffer le gril du barbecue à feu vif.

Concassé de tomates : Badigeonner les demi-tomates d'huile d'olive et les faire griller, côté chair dessous, pendant 3 minutes sur le barbecue. Retirer et jeter la peau, puis écraser la chair à la fourchette. Dans une casserole, combiner avec les autres ingrédients et cuire pendant 10 minutes à feu doux. Assaisonner au goût.

Dans quatre assiettes, dresser en étages successifs du concassé de tomates, un filet de morue et un beignet de salsifis. Servir sans tarder.

--- Note du chef ---

Vous pouvez servir les beignets en entrée aussi. Traitez-les comme les fleurs de courgette de la recette de la p. 99.

JP EST UNE BIBITTE À SUCRE, ALORS C'EST SÛR QU'IL MET DU SEVEN-UP LÀ-DEDANS. MOI, JE REMPLACERAIS ÇA PAR DU TONIC OU DE L'EAU GAZÉIFIÉE, MAIS ÇA DÉPEND DES GOÛTS. --- M

Nos Poissons
- Truite arc-en-ciel (Ont) 26
- Flétan (N-É) 32
- Vivaneau (Flo) 27
Crevettes - Maquereau (Esp) 23
Style - Pétoncles (Maine) 32
- Morue noire (AL) 32
- Omble de l'Arctiq
- Dorade grise
- Doré de lac

TYPE DE PLAT principal
PORTIONS 4
PRÉPARATION 30 min
CUISSON de 2 à 7 min
À BOIRE Colombie-Britannique, chardonnay

--- recette de Mathieu ---

MORUE NOIRE CROUSTILLANTE, PURÉE DE PETITS POIS VERTS, SALADE DE MÂCHE ET POMME PAILLE

MORUE NOIRE

2 c. à café d'huile d'olive

4 morceaux de morue noire avec la peau de 200 g (½ lb) chacun

1 gousse d'ail, pelée

1 branche de thym

Sel et poivre noir frais moulu

PURÉE DE PETITS POIS VERTS

700 g (4 ¾ tasses) de petits pois verts frais

1 gousse d'ail, rôtie (voir la technique p. 99)

50 g (¼ tasse) de beurre

60 ml (¼ tasse) de crème à cuisson 35 %

Sel et poivre noir frais moulu

SALADE DE MÂCHE

10 bouquets de mâches, effeuillés

½ échalote, ciselée

1 pomme Granny Smith, en julienne très fine

1 filet d'huile de citron

Sel et poivre noir frais moulu

POMME PAILLE

1 pomme de terre Russett, en julienne

Huile végétale (pour la friteuse)

Sel et poivre noir frais moulu

Préchauffer le four à 220 °C (425 °F).

Dans une poêle antiadhésive, chauffer l'huile et y déposer la morue, côté peau vers le fond. Lorsqu'un peu plus des trois quarts de la chair sont opaques, ajouter l'ail et le thym. Finir la cuisson au four pendant 3 à 5 minutes environ.

Dans une casserole d'eau bouillante salée, blanchir les petits pois pendant 1 minute. Égoutter et transférer dans un robot culinaire. Hacher les petits pois, puis ajouter l'ail rôti, du sel et du poivre. Réduire en purée, en ajoutant le beurre petit à petit. Finir avec la crème. Passer la purée au tamis.

Dans un bol, mélanger tous les ingrédients de la salade, saler et poivrer.

Préchauffer l'huile de la friteuse à 160 °C (325 °F). Frire la julienne de pomme de terre. Saler et poivrer immédiatement.

Pour servir, dessiner des points de purée de petits pois dans l'assiette et y déposer la morue. Décorer de frites et de salade.

--- Note du chef ---

Pour que les petits pois gardent leur belle couleur vive, le truc, c'est de les faire blanchir 1 minute dans l'eau bouillante.

LES PETITS FRUITS SONT DANS NOTRE ADN COLLECTIF. TOUS LES TI-CULS ONT FAIT DE L'AUTOCUEILLETTE EN REMPLISSANT LEUR ESTOMAC AVANT LEUR CASSEAU. COMME LE KITCHEN EST SITUÉ À DEUX PAS DU MARCHÉ JEAN-TALON, C'EST TOUJOURS LE PREMIER RESTO À LES RECEVOIR.

VIN AU VERRE
BLANC
ROUGE
V.VOUVRAY CAREME
11$
CARDEAU ENTIER
POUR 2 PERS
55$

TYPE DE PLAT entrée
PORTIONS 4
PRÉPARATION 5 min
À BOIRE Italie, moscato

--- recette de Jean-Philippe ---

SOUPE DE FRAISES DE L'ÎLE D'ORLÉANS

4 barquettes de fraises de l'île d'Orléans
100 g (½ tasse) de sucre
1 c. à soupe de pastis
80 ml (⅓ tasse) de petites guimauves
Poivre noir frais moulu

Dans le bol du malaxeur, combiner 3 barquettes de fraises et le sucre. Mélanger 2 minutes et réserver.

Couper le reste des fraises en quartiers. Mélanger avec le pastis. Ajouter 3 tours de poivre de moulin.

Verser le coulis de fraise dans quatre bols à soupe. Garnir des fraises au pastis et des guimauves. Servir immédiatement.

--- Note du chef ---

Si les fraises ne viennent pas de l'île d'Orléans, elles sont bonnes quand même!

TYPE DE PLAT dessert
PORTIONS 4
PRÉPARATION 30 min
CUISSON 30 min
REPOS 1 h
À BOIRE Italie, moscato d'asti

--- recette de Mathieu ---

TARTELETTES AUX MÛRES ET À LA RICOTTA

PÂTE À TARTE
200 g (1 2/3 tasse) de farine
1 œuf
60 g (1/3 tasse) de sucre
70 g (1/3 tasse) de beurre
1 c. à café d'eau froide
1 pincée de sel

GARNITURE À LA RICOTTA
250 g (1 1/8 tasse) de fromage ricotta, bien égoutté
60 ml (¼ tasse) de sirop d'érable
2 œufs
1 c. à café de farine
½ barquette de mûres

MOUSSE À LA MÛRE
½ barquette de mûres
125 ml (½ tasse) de sirop de canne à sucre
2 g (1/8 c. à café) de gomme xanthane*
3 g (¼ c. à soupe) de Versawhip*

** La gomme xanthane et le Versawhip permettent d'obtenir une mousse lisse qui tient quelques heures à température ambiante. Vous les trouverez dans les magasins de produits naturels ou sur Internet.*

Pour préparer la pâte à tarte, mélanger la farine, l'œuf, le sucre et le beurre dans un grand bol. Incorporer l'eau et le sel. Transférer sur un plan de travail, puis pétrir 5 minutes. Former une boule, envelopper de pellicule plastique et laisser reposer au réfrigérateur pendant 1 heure.

Préchauffer le four à 180 °C (350 °F).

Déposer la pâte sur un plan de travail enfariné et abaisser au rouleau. Foncer des moules à tartelettes de cette abaisse (congeler le surplus pour une utilisation ultérieure). Cuire au four pendant 15 minutes pour blanchir le fond. Laisser reposer jusqu'à ce que la pâte soit froide avant de garnir.

Dans un bol, à l'aide d'un batteur à main, fouetter la ricotta, le sirop d'érable, les œufs et la farine. Verser dans les fonds de tarte froids. Disposer des mûres sur chacune des tartelettes. Cuire au four pendant 15 minutes. Laisser reposer.

Mettre tous les ingrédients de la mousse dans un bol et faire monter jusqu'à l'obtention d'une belle mousse. Verser sur les tartelettes et servir.

--- Note du chef ---

Pour éviter que la pâte rétrécisse à la cuisson, assurez-vous qu'elle soit froide. Pour vous donner un petit coup de pouce esthétique, déposer un moule à l'envers au-dessus de la tartelette avant de la mettre au four.

TYPE DE PLAT dessert
PORTIONS 4
PRÉPARATION 35 min
CUISSON 30 min
À BOIRE Languedoc, banyuls

--- recette de Mathieu ---

FRAMBOISES AU MIEL, GÂTEAU AU CHOCOLAT ET AUX PISTACHES

4 œufs
100 g (½ tasse) de sucre
125 g (1 tasse) de farine
½ c. à café de levure chimique
20 g (¼ tasse) de cacao
1 pincée de sel
125 ml (½ tasse) de beurre, fondu et tempéré
30 g (¼ tasse) de pistaches entières

FRAMBOISES AU MIEL
60 ml (¼ tasse) de miel
Le zeste et le jus de ½ citron
1 barquette de framboises

Préchauffer le four à 190 °C (375 °F).

Dans un grand bol, fouetter les œufs et le sucre jusqu'à ce que le mélange soit blanc et mousseux. Dans un bol, tamiser la farine, la levure chimique, le cacao et le sel, puis ajouter ce mélange aux œufs. À l'aide d'un fouet, incorporer le beurre fondu en fin filet pour bien émulsionner les œufs. Ajouter les pistaches. Verser dans un moule à gâteau (préférablement de silicone pouvant aller au four). Cuire au four de 30 à 35 minutes. Attendre que le gâteau soit tiède avant de le démouler. Couper des tranches de 1 cm (½ po) d'épaisseur et les laisser refroidir.

Préparer les framboises au miel juste avant de servir. Dans une casserole à fond épais, faire chauffer à feu vif le miel avec le zeste et le jus de citron. Quand le mélange bout, ajouter les framboises et cuire 15 secondes seulement pour préserver les propriétés du fruit. Servir chaud sur le gâteau.

--- Note du chef ---

Pour éviter que les framboises s'écrasent, passez-les vraiment rapidement dans le miel chaud. Il faut seulement les laquer et c'est une question de secondes.

Laissez faire le gâteau. Les framboises, c'est le meilleur! La preuve, c'est que ça accompagne bien n'importe quel gâteau. --- jp

TYPE DE PLAT dessert
PORTIONS 4
PRÉPARATION 10 min
CUISSON 15 min
REPOS 4 h
À BOIRE Chili, sauvignon blanc, vendanges tardives

--- recette de Jean-Philippe ---

VERRINE DE CRÈME CITRON ET BLEUETS

2 barquettes de bleuets
180 ml (¾ tasse) d'eau
200 g (1 tasse) de sucre
2 anis étoilés
1 bâton de cannelle

CRÈME CITRON
Le jus de 8 citrons
Le zeste de 4 citrons
4 œufs
200 g (1 tasse) de sucre
150 g (¾ tasse) de beurre, en cubes

Pour préparer la crème citron, dans une casserole à feu moyen, combiner le jus et le zeste de citron, les œufs et le sucre en fouettant sans arrêt jusqu'à ébullition. Passer au chinois (ou au tamis fin) dans un bol et incorporer le beurre petit à petit en fouettant. Couvrir de pellicule plastique et laisser refroidir au réfrigérateur pendant au moins 4 heures.

Entre-temps, laver les bleuets et les déposer dans un grand bol. Dans une casserole à feu vif, combiner l'eau, le sucre, l'anis étoilé et le bâton de cannelle. Amener à ébullition, puis verser sur les bleuets. Refroidir au réfrigérateur pendant au moins 1 à 2 heures.

Pour servir, verser des bleuets dans de jolis verres et couvrir de crème citron.

--- Note du chef ---

Si vous préférez les gros bleuets, prenez ceux qui viennent du Lac-Saint-Jean. Si vous les aimez plus petits, choisissez ceux de l'Abitibi !

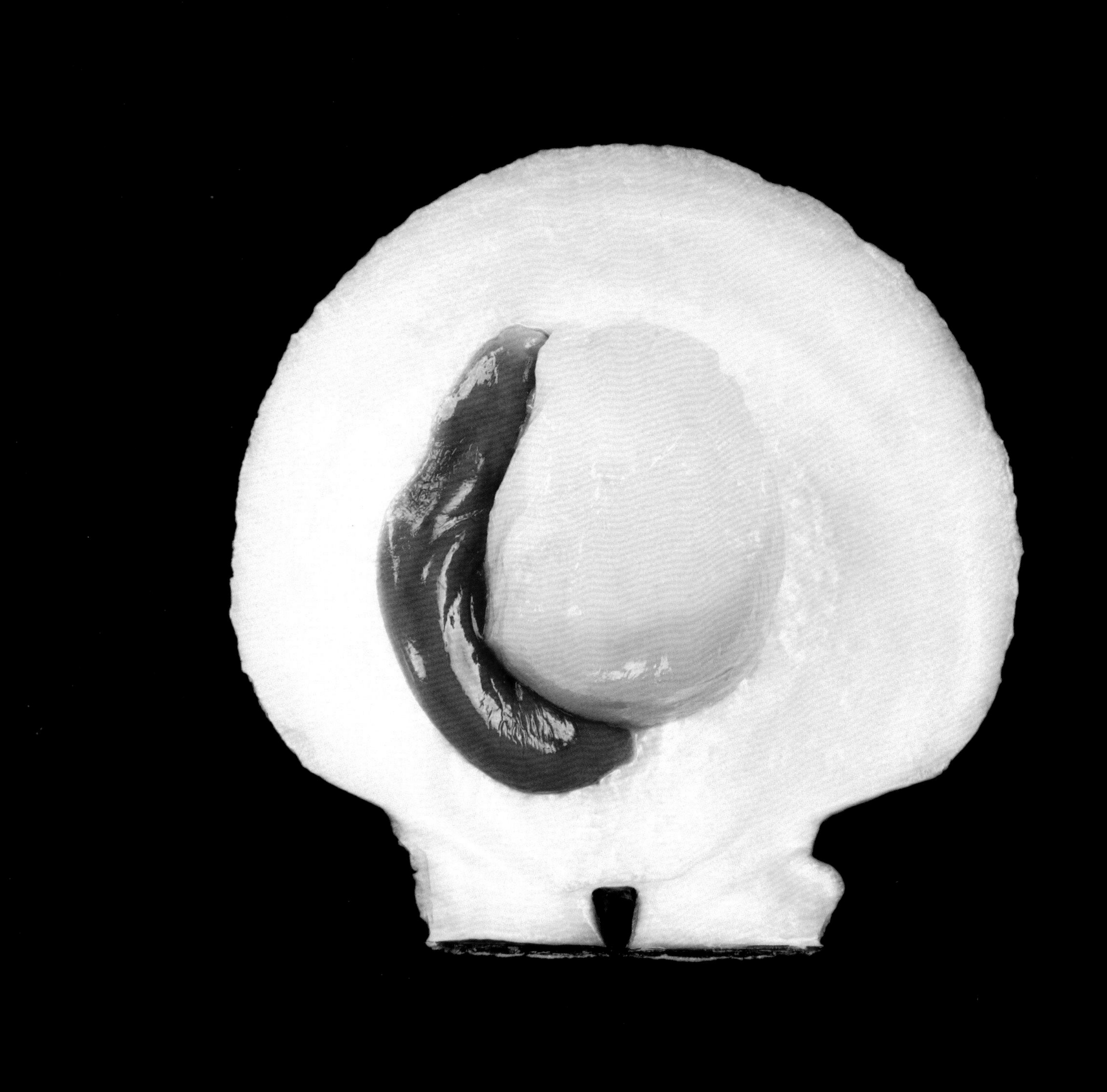

ÇA NOUS DÉPASSE QU'AU QUÉBEC, OÙ LES PÉTONCLES SONT ABONDANTS, ON NOUS LES VENDE SURGELÉS ! AVEC LEUR GOÛT FIN, LES PÉTONCLES CRUS OU POÊLÉS SONT « SANTÉ » ET N'ONT PAS BESOIN DE GRAS POUR AVOIR DE LA SAVEUR. UN MUST !

TYPE DE PLAT entrée
PORTIONS 4
PRÉPARATION 15 min
REPOS 10 min
À BOIRE Mexique, tequila

--- recette de Jean-Philippe ---

CEVICHE DE PÉTONCLES À LA TEQUILA

16 pétoncles u10, coupés en 4 tranches chacun
Fleur de sel et poivre noir frais moulu

VINAIGRETTE À LA TEQUILA
1 échalote, émincée
1 botte de ciboulette, émincée
60 ml (¼ tasse) d'huile d'olive
Le jus et le zeste de 5 citrons verts
2 c. à soupe de tequila
2 c. à soupe de caviar de mujol
5 gouttes de sauce Tabasco
1 c. à café de piment d'Espelette

Mélanger ensemble tous les ingrédients de la vinaigrette.

Disposer les tranches de pétoncles en rosace dans une assiette. Napper de vinaigrette et laisser reposer 10 minutes pour «cuire» les pétoncles.

Assaisonner de fleur de sel et de poivre, puis servir immédiatement.

JE DÉTESTE LE GOÛT DE LA TEQUILA. ALORS C'EST CERTAIN QUE JE LA REMPLACERAIS PAR DE LA VODKA OU MÊME PAR UN BON RHUM AMBRÉ, UN PEU CARAMÉLÉ. --- M

TYPE DE PLAT entrée
PORTIONS 4
PRÉPARATION 30 min
CUISSON 25 min
REPOS 30 min
À BOIRE Arbois, chardonnay

--- recette de Mathieu ---

MOUSSE DE PÉTONCLES, GELÉE AU CHARDONNAY, NOISETTES TORRÉFIÉES

MOUSSE DE PÉTONCLES
500 ml (2 tasses) de crème 35 %
5 gousses d'ail
1 échalote
1 branche de thym
1 feuille de laurier
1 branche de romarin
16 gros pétoncles
4 grandes feuilles d'oseille, ciselées
Sel et poivre noir frais moulu

GELÉE AU CHARDONNAY
250 ml (1 tasse) de chardonnay
1 c. à café de sucre
2 feuilles de gélatine
250 ml (1 tasse) d'eau froide
Sel et poivre noir frais moulu

NOISETTES TORRÉFIÉES
130 g (1 tasse) de noisettes
1 c. à café de paprika fumé
Sel et poivre noir frais moulu

Mousse de pétoncles : Dans une très grande casserole, verser la crème, porter à ébullition et retirer du feu dès les premiers bouillons. Y faire infuser l'ail, l'échalote, le thym, le laurier et le romarin pendant 15 minutes. Assaisonner les pétoncles, puis les pocher dans la crème pendant 5 minutes à feu doux. Lorsqu'ils sont opaques à 80 %, transférer les pétoncles dans un robot culinaire. Passer la crème au tamis fin. Hacher les pétoncles au robot, en ajoutant la crème tamisée en fin filet pour obtenir une émulsion qui rendra la mousse légère. Laisser tiédir à température ambiante. Ajouter l'oseille. Rectifier l'assaisonnement.

Gelée de chardonnay : Faire bouillir le chardonnay, le sucre et une pincée de sel et de poivre. Faire tremper les feuilles de gélatine dans l'eau froide pendant 5 minutes. Égoutter et ajouter les feuilles au chardonnay hors feu pour les y dissoudre. Rectifier l'assaisonnement. Laisser tiédir.

Noisettes torréfiées : Préchauffer le four à 200 °C (400 °F). Déposer les noisettes sur une plaque de cuisson. Enfourner et faire torréfier pendant 10 minutes. Sortir les noisettes du four et les concasser à l'aide d'une poêle. Assaisonner de paprika fumé, de sel et de poivre.

Pour servir, dans des verrines, étager les trois préparations en alternant.

--- Note du chef ---

Vous pouvez aussi dresser les assiettes en faisant un grand trait de mousse et ajouter des petits cubes de gelée pour donner un petit coup de fraîcheur.

TYPE DE PLAT principal
PORTIONS 4
PRÉPARATION 10 min
CUISSON 10 min
À BOIRE États-Unis, root beer

--- recette de Jean-Philippe ---

PÉTONCLES'N'CHIPS

200 g (1 2/3 tasse) de farine
4 œufs, battus
200 g (1 ¾ tasse) de chapelure panko
20 pétoncles u10
Huile végétale (pour la friteuse)
Sel et poivre noir frais moulu

FRITES DE RATTES
500 g (1 lb) de pommes de terre rattes, coupées en quartiers
Paprika, au goût
Sel et poivre noir frais moulu

SAUCE TARTARE
250 ml (1 tasse) de mayonnaise
125 ml (½ tasse) de crème sure
50 g (1/3 tasse) de cornichons, hachés
50 g (1/3 tasse) de câpres, hachées
Sel et poivre noir frais moulu

Préchauffer l'huile de la friteuse à 180 °C (350 °F).

Dans trois assiettes, verser respectivement la farine, les œufs battus et la chapelure panko. Passer les pétoncles dans la farine, puis dans les œufs et finir par la chapelure. Frire 2 minutes, saler et poivrer immédiatement, puis réserver au chaud.

Dans la même friteuse, cuire les pommes de terre 8 minutes. Assaisonner immédiatement de sel, de poivre et de paprika, puis réserver au chaud.

Pendant que les frites cuisent, préparer la sauce tartare en mélangeant dans un bol la mayonnaise, la crème sure, les cornichons et les câpres. Assaisonner.

Pour servir, déposer les pétoncles dans quatre assiettes. Accompagner de frites et de sauce tartare.

--- Note du chef ---

Ne vous gênez surtout pas pour remplacer les pétoncles par de la morue!

TYPE DE PLAT principal
PORTIONS 4
PRÉPARATION 30 min
CUISSON 10 min
REPOS 1 h
À BOIRE Côte catalane, marsanne

--- recette de Mathieu ---

PÉTONCLES POÊLÉS AUX LÉGUMES D'ÉTÉ MARINÉS, MIEL AU PIMENT D'ESPELETTE

16 gros pétoncles u10
1 c. à soupe d'huile d'olive
1 c. à soupe de beurre

LÉGUMES D'ÉTÉ MARINÉS
250 ml (1 tasse) d'eau
200 g (1 tasse) de sucre
250 ml (1 tasse) de vinaigre de vin blanc (ou de vinaigre de champagne)
3 gousses d'ail
2 branches de thym
1 feuille de laurier
1 betterave jaune
1 betterave Chiogga
1 carotte jaune
1 carotte rouge
1 carotte Bordeaux
4 oignons verts
4 petites rabioles (navets blancs)
Sel et poivre noir frais moulu

SALADE DE POMME, DE CÉLERI ET DE CITRON CONFIT
1 pomme Granny Smith, le cœur enlevé
1 branche de céleri
1 citron confit (la peau seulement), rincé et égoutté
3 feuilles de basilic, ciselées
1 c. à soupe d'huile d'olive (ou d'huile d'olive au citron)
Sel et poivre noir frais moulu

MIEL AU PIMENT D'ESPELETTE
60 ml (¼ tasse) de miel
1 c. à café de piment d'Espelette

YOGOURT ASSAISONNÉ
60 ml (¼ tasse) de yogourt nature
1 c. à soupe d'huile d'olive
Sel et poivre noir frais moulu

Légumes d'été marinés : Dans une autre casserole, amener à ébullition l'eau, le sucre, le vinaigre, l'ail et les herbes. Retirer du feu et réserver cette marinade.

Dans une casserole d'eau bouillante salée, faire cuire les betteraves jusqu'à tendreté. Les éplucher et les couper en fines tranches. Tailler les autres légumes en longs rubans. Verser la marinade sur les légumes et laisser reposer au moins 1 heure à température ambiante. Saler et poivrer.

Salade de pomme, de céleri et de citron confit : Tailler la pomme et le céleri en brunoise, puis mettre dans un bol. Émincer le zeste du citron confit et ajouter à la salade. Incorporer le basilic et l'huile. Saler et poivrer au goût.

Miel au piment d'Espelette : Dans une petite casserole, faire chauffer le miel et le piment d'Espelette.Retirer du feu et laisser infuser 2 minutes. (Ce miel doit être servi tiède.)

Yogourt assaisonné : Assaisonner le yogourt de sel, de poivre et d'huile d'olive.

Assécher les pétoncles avec du papier absorbant. Faire chauffer l'huile d'olive dans une poêle à feu vif. Saisir les pétoncles d'un côté pendant 1 ou 1 ½ minute, puis réduire le feu. Retourner les pétoncles, ajouter le beurre et cuire encore 1 ou 1 ½ minute.

Pour servir, verser des points de yogourt un peu partout dans les assiettes et y déposer les pétoncles. Décorer de miel et accompagner de la salade et des légumes d'été marinés.

--- Note du chef ---

Mariner les légumes est également une méthode de conservation. On peut donc les préparer d'avance et les conserver dans des pots hermétiques. Pour cette recette, vous pouvez évidemment prendre tous les légumes que vous avez sous la main. Ce sera aussi bon !

CROQUER DANS UNE POMME, C'EST COMME RETOMBER EN ENFANCE. EN CUISINE, LA POMME AJOUTE DE LA FRAÎCHEUR PARTOUT. ON PEUT L'APPRÊTER FAÇON CHIC AVEC LE FOIE GRAS, MAIS JP LA PRÉFÈRE ENCORE DANS UNE BONNE TARTE MAISON.

TYPE DE PLAT entrée
PORTIONS 4
PRÉPARATION 15 min
À BOIRE Alsace, riesling

--- recette de Jean-Philippe ---

SALADE DE POMMES VERTES, DE CRABE ET D'ASPERGES

450 g (1 lb) de chair de crabe

4 pommes Granny Smith, pelées et coupées en julienne

½ botte d'asperges, le bout cassé, émincées sur la longueur à la mandoline

VINAIGRETTE

80 ml (1/3 tasse) d'huile d'olive

2 c. à soupe de vinaigre balsamique blanc

½ botte de ciboulette, émincée

2 échalotes, émincées

Sel et poivre noir frais moulu

Réserver 100 g (¼ lb) de crabe pour la garniture.

Dans un bol, faire la vinaigrette en combinant l'huile d'olive, le vinaigre balsamique, la ciboulette et les échalotes. Saler et poivrer au goût.

Dans un cul-de-poule, combiner les pommes, le crabe et les asperges. Napper de la vinaigrette et mélanger délicatement.

Répartir le tout dans quatre bols à salade individuels. Garnir de la chair de crabe réservée et servir.

WOW! CELLE-LÀ, JE SUIS AGRÉABLEMENT SURPRIS DE LA VOIR. C'EST SANTÉ ET C'EST TOUT LE CONTRAIRE DE JP. --- M

TYPE DE PLAT principal
PORTIONS 4
PRÉPARATION 20 min
CUISSON 1 h
REPOS 1 h
À BOIRE Portugal, Douro

--- recette de Jean-Philippe ---

BOUDIN À LA PURÉE DE POMME

BOUDIN
1 gros oignon, haché
2 gousses d'ail, hachées
2 c. à soupe de beurre
2 c. à soupe d'huile d'olive + quantité suffisante pour réchauffer le boudin
2 c. à soupe de vinaigre de vin rouge
500 ml (2 tasses) de sang de porc frais
225 g (½ lb) de gorges de porc, hachées
225 g (½ lb) de panne (gras) de porc, hachée
100 g (¼ lb) de lard salé, haché
1 c. à soupe de cinq-épices
Sel et poivre noir frais moulu

PURÉE DE POMME
6 pommes Cortland, pelées ou non*, en quartiers
100 g (½ tasse) de sucre

** Des pommes non pelées vous donneront une purée rose, alors que des pommes pelées produiront une purée blanche. C'est au choix.*

Dans une casserole à feu doux, combiner les pommes Cortland et le sucre. Faire mijoter pendant 20 minutes et réserver à température ambiante. (Vous pouvez préparer cette purée à l'avance. Elle se conservera sans problème quelques jours au réfrigérateur.)

Dans un poêlon, faire suer l'oignon et l'ail dans le beurre pendant 5 minutes. Laisser refroidir complètement.

Préchauffer le four à 160 °C (325 °F).

Dans un grand bol, verser l'oignon et l'ail refroidis. Ajouter tous les autres ingrédients du boudin et mélanger. Verser ce mélange dans un plat de pyrex carré d'environ 23 x 23 cm (9 x 9 po). Recouvrir de papier d'aluminium en scellant bien. Déposer ce plat dans un autre plat allant au four et placer sur la grille du milieu. Verser de l'eau chaude dans ce deuxième plat jusqu'à mi-hauteur du plat de pyrex pour former un bain-marie. Cuire au four pendant 35 minutes. Une fois le boudin cuit, laisser refroidir.

Au moment de servir, couper le boudin en portions individuelles et, dans une poêle antiadhésive, les réchauffer dans de l'huile d'olive chaude. Vous pouvez aussi réchauffer les portions au four à micro-ondes. Accompagner de la purée de pomme et d'une autre purée au choix : pomme de terre, céleri-rave, légumes-racines…

--- Note du chef ---

Pour vérifier la cuisson, faites la même chose que pour un gâteau : planter un couteau dans le boudin. S'il en ressort propre, c'est que c'est prêt !

LE BOUDIN DE JP EST VRAIMENT EXCELLENT. PAR CONTRE, COMME TOUT LE MONDE N'AIME PAS JOUER DANS LE SANG AUTANT QUE LUI, LE BOUDIN, ÇA S'ACHÈTE AUSSI CHEZ UN BON BOUCHER. --- M

TYPE DE PLAT dessert
PORTIONS 4
PRÉPARATION 30 min
CUISSON 1 h 15 min
REPOS 3 h
À BOIRE Québec, cidre de glace

--- recette de Mathieu ---

CROUSTADE AUX POMMES EN VERRINE, GLACE À LA CANNELLE

POMMES
100 g (½ tasse) de sucre
60 ml (¼ tasse) d'eau
125 ml (½ tasse) de crème 35 %
4 pommes Spartan, pelées et coupées en cubes
30 g (¼ tasse) de pistaches
Le zeste rapé de 1 citron
1 c. à café de miel
Sel

CRUMBLE
110 g (½ tasse) de beurre
60 g (½ tasse) de farine
100 g (½ tasse) de sucre
2 c. à café de gingembre
Sel

GLACE À LA CANNELLE
375 ml (1 ½ tasse) de lait 2 %
125 ml (½ tasse) de crème 35 %
2 bâtons de cannelle
100 g (½ tasse) de sucre
5 jaunes d'œufs

Pommes : Dans une casserole, combiner le sucre et l'eau, puis cuire sans remuer jusqu'à l'obtention d'un caramel. Incorporer la crème délicatement et mélanger. Ajouter les pommes, les pistaches, le zeste, le miel et le sel. Cuire 10 minutes à feu doux. Tiédir à température ambiante.

Préchauffer le four à 180 °C (350 °F).

Crumble : Mélanger tous les ingrédients dans un plat allant au four, enfourner et faire colorer de 15 à 25 minutes en remuant aux 10 minutes.

Glace à la cannelle : Dans une casserole, combiner le lait, la crème, la cannelle et la moitié du sucre, puis faire infuser pendant 1 heure à feu très doux. Dans un bol, fouetter les jaunes d'œufs et le reste du sucre jusqu'à ce que le mélange devienne blanc et mousseux. Ajouter le mélange de lait chaud petit à petit. Reverser le tout dans la casserole et chauffer jusqu'à 72 °C (161 °F) au thermomètre à bonbon. Passer dans un tamis fin, refroidir au réfrigérateur pendant 2 heures et turbiner dans une sorbetière.

Pour servir, verser successivement les pommes, le crumble et la glace dans des verrines.

--- Note du chef ---

Attention ! On ne veut pas que la cannelle soit trop intense dans la glace. On cherche un goût délicat en fin de bouche, alors allez-y mollo.

La cannelle, ça aurait dû rester en Angleterre. À mon avis, elle serait ben meilleure sans épice, cette petite crème glacée-là ! --- jp

TYPE DE PLAT dessert
PORTIONS 4
PRÉPARATION 1 h
CUISSON 1 ou 2 min
À BOIRE Espagne, xérès

--- recette de Mathieu ---

GELÉE DE POMME, MOUSSE AU MASCARPONE, CARAMEL À LA FLEUR DE SEL

GELÉE DE POMME
50 g (¼ tasse) de sucre
60 ml (¼ tasse) d'eau
3 feuilles de gélatine
2 pommes Granny Smith

MOUSSE AU MASCARPONE
125 ml (½ tasse) de mascarpone
50 g (¼ tasse) de sucre
Le zeste de 1 citron
250 ml (1 tasse) de crème 35 %

CARAMEL À LA FLEUR DE SEL
50 g (¼ tasse) de sucre
60 ml (¼ tasse) d'eau
60 ml (¼ tasse) de crème 35 %
1 pincée de fleur de sel

DÉCORATION
4 carrés de pâte won-ton du commerce
3 c. à soupe de noix de pin, torréfiées au four (voir la technique à la p. 168)
Huile végétale (pour la friteuse)

Gelée de pomme : Dans une casserole, faire bouillir le sucre et l'eau. Entre-temps, tremper les feuilles de gélatine dans un bol d'eau froide pendant 5 minutes, puis égoutter. Dans un bol, combiner les feuilles de gélatine et le sirop chaud pour faire dissoudre la gélatine. Laisser tiédir le mélange à température ambiante.

À l'aide d'un extracteur à jus, extraire le jus des pommes. Mélanger au liquide tiède. Mettre de la glace dans un grand bol et y déposer le bol de sirop au jus de pomme. Placer le tout au réfrigérateur pendant 1 heure.

Mousse au mascarpone : Dans un grand bol, mélanger le mascarpone, le sucre, le zeste de citron et la moitié de la crème à l'aide d'un batteur à main. Dans un autre bol, fouetter le reste de la crème. Incorporer au mélange de mascarpone en pliant délicatement à la spatule.

Caramel à la fleur de sel : Dans une casserole, combiner le sucre et l'eau, puis faire caraméliser sans remuer. Décuire à la crème. Ajouter une pincée de sel.

Préchauffer l'huile de la friteuse à 135 °C (275 °F). Y faire frire les carrés de won-ton jusqu'à ce qu'ils soient dorés et croustillants.

Pour servir, couper des carrés de gelée de pomme. Garnir successivement d'un won-ton frit, d'une ligne de caramel, d'une quenelle de mousse et de noix de pin. Servir immédiatement.

--- Note du chef ---

Vous devez obtenir au moins 500 ml (2 tasses) de jus de pomme. Si ce n'est pas le cas, ajoutez des pommes jusqu'à ce que vous arriviez à cette quantité. Et si vous n'avez pas d'extracteur, utilisez du jus de pomme, tout simplement.

Et re-re-Jell-O ! Décidément, contrairement à moi, Mathieu a hâte de manger mou ! --- jp

ON MANGE BEAUCOUP DE POMMES DE TERRE AU QUÉBEC, MAIS C'EST TOUJOURS LES MÊMES. POURTANT, IL Y A TANT DE VARIÉTÉS : PINK FIRE, RATTE, BLEUE, BINTJE, ETC. EN VOICI QUELQUES-UNES, QUI VONT AU-DELÀ DES BONNES VIEILLES « PATATES PILÉES ».

TYPE DE PLAT entrée
PORTIONS 4
PRÉPARATION 25 min
CUISSON 50 min
À BOIRE Lirac, Côtes du Rhône, syrah

--- recette de Mathieu ---

POTAGE PARMENTIER AU BACON, AU MAÏS ET À LA SAUGE

6 tranches de bacon, en lardons
1 oignon, émincé
2 grosses pommes de terre à chair jaune, pelées et coupées en cubes
1 feuille de laurier
1 baie de genièvre
1,5 litre (6 tasses) de fond de volaille (voir p. 234)
1 c. à café de beurre
1 épi de maïs, égrené
2 grosses feuilles de sauge
½ échalote, ciselée
Sel et poivre noir frais moulu

Dans une casserole à fond épais, cuire les lardons à feu moyen. Retirer et réserver. Dans le gras de bacon, faire suer l'oignon pendant 5 minutes. Ajouter les pommes de terre, le laurier et la baie de genièvre. Mouiller avec le fond de volaille et cuire 40 minutes à feu moyen. Retirer la baie de genièvre et le laurier. Réduire en purée à l'aide d'un pied-mélangeur. Assaisonner. Réserver au chaud.

Dans une poêle chaude, faire mousser le beurre. Ajouter les grains de maïs, les lardons réservés, la sauge et l'échalote. Cuire 5 minutes. Assaisonner.

Verser le potage dans des assiettes creuses. Garnir du mélange de lardons.

Vous pouvez la manger froide aussi, celle-là. ---jp

TYPE DE PLAT entrée
PORTIONS 4
PRÉPARATION 20 min
CUISSON 18 min
À BOIRE Languedoc, roussanne et marsanne

--- recette de Jean-Philippe ---

SALADE DE POMME DE TERRE PINK FIRE, FROMAGE DE CHÈVRE ET TAPENADE

225 g (½ lb) de pommes de terre Pink Fire, non épluchées
2 c. à soupe de vinaigre de vin rouge
60 ml (¼ tasse) d'huile d'olive
2 échalotes, ciselées
½ botte de ciboulette, ciselée
4 belles tranches de fromage Chèvre des neiges
Sel et poivre noir frais moulu

TAPENADE D'OLIVES
225 g (½ lb) d'olives Kalamata, dénoyautées
2 c. à soupe d'huile d'olive
2 gousses d'ail, pelées

Mettre tous les ingrédients de la tapenade au robot culinaire et réduire en purée. Réserver.

Dans une casserole d'eau salée, déposer les pommes de terre. Amener à ébullition et faire cuire 10 minutes. Éplucher les pommes de terre et les couper en tranches de 1 cm (½ po) d'épaisseur. Déposer le tout dans un saladier.

Dans un petit bol, mélanger le vinaigre de vin, l'huile d'olive, les échalotes et la ciboulette. Saler et poivrer. Verser immédiatement cette vinaigrette sur les pommes de terre chaudes. Laisser refroidir complètement à température ambiante, puis incorporer la moitié de la tapenade en mélangeant délicatement.

Dans quatre emporte-pièces, déposer de la salade de pommes de terre. Recouvrir d'une tranche de fromage de chèvre et gratiner sous le gril du four pendant 2 à 3 minutes ou jusqu'à coloration dorée.

Déposer dans des assiettes de service et décorer d'une quenelle de tapenade. Si désiré, servir avec des croûtons et une salade de jeune roquette ou de micropousses.

--- Note du chef ---
Si vous avez de la difficulté à trouver de la Pink Fire, allez-y avec des grelots coupés en quatre.

C'EST SÛR QUE VOUS ALLEZ AVOIR DE LA DIFFICULTÉ! Y'A PAS GRAND-MONDE QUI FAIT POUSSER ÇA, DE LA PINK FIRE. ALLEZ-Y DONC AVEC DE LA YUKON GOLD OU DES RATTES. --- M

TYPE DE PLAT entrée
PORTIONS 4
PRÉPARATION 30 min
CUISSON 10 min
REPOS 1 h
À BOIRE côtes du Rhône, viognier, Condrieu

--- recette de Mathieu ---

MILLE-FEUILLES DE RATTES, PLEUROTES MARINÉS ET FROMAGE BLANC

Huile végétale (pour la friteuse)
4 longues pommes de terre rattes, tranchées finement à la mandoline
12 pleurotes, émincés
2 c. à soupe d'huile d'olive
1 c. à soupe de vinaigre de chardonnay
10 tiges de ciboulette, ciselées
1 échalote, ciselée
55 g (¼ tasse) de fromage blanc
¼ c. à café de sauce piri-piri
Sel et poivre noir frais moulu

Préchauffer l'huile de la friteuse à 180 °C (350 °F).

Frire les lamelles de pommes de terre, une à une pour qu'elles gardent une forme aplatie. Transférer sur un papier absorbant pour les assécher. Assaisonner.

Dans une poêle chaude, faire revenir les pleurotes dans l'huile d'olive. Déglacer au vinaigre de chardonnay. Laisser mariner au réfrigérateur pendant 1 heure.

Diviser la ciboulette et l'échalote en deux portions. Ajouter une portion de chacune aux champignons marinés. Dans un bol, combiner l'autre portion de ciboulette et d'échalote avec le fromage blanc et le piri-piri, en mélangeant bien. Assaisonner au goût.

Pour servir, déposer les pleurotes dans les assiettes et garnir de rattes frites. À l'aide d'un sac à pâtisserie avec douille, ajouter une couche de fromage assaisonné et servir aussitôt.

--- Note du chef ---

C'est une recette facile, mais qui a un look vraiment intéressant. Pour faciliter le travail, choisissez des rattes de 7 à 10 cm (3 à 4 po) de longueur.

TYPE DE PLAT principal
PORTIONS 4
PRÉPARATION 20 min
CUISSON 45 min
À BOIRE Écosse, bière noire

--- recette de Jean-Philippe ---

GRATIN DE POMMES DE TERRE AU SMOKED MEAT

1 c. à soupe de beurre
(pour beurrer le plat)

1 gousse d'ail, hachée

1 feuille de laurier

1 branche de thym

5 pommes de terre à chair jaune,
pelées et tranchées finement à la mandoline

225 g (½ lb) de viande fumée
(*smoked meat*)

500 ml (2 tasses) de crème 35 %

Sel et poivre noir frais moulu

Préchauffer le four à 220 °C (425 °F).

Beurrer un plat de pyrex carré de 23 x 23 cm (9 x 9 po). Y déposer l'ail, le laurier et le thym. Étaler en alternant des étages de pommes de terre et de *smoked meat*. Saler et poivrer légèrement entre chaque étage, le *smoked meat* étant déjà très salé. Finir avec un étage de pommes de terre. Verser la crème sur le tout. Cuire au four pendant 45 minutes.

--- Note du chef ---

Ce gratin sera délicieux en accompagnement d'une entrecôte grillée, d'une côte de veau, d'un poisson poêlé ou d'un poulet rôti.

POUR AVALER ÇA, IL FAUT S'ASSURER D'AVOIR FAIT DU SPORT AVANT ET D'AVOIR UNE PETITE SÉANCE PRÉVUE APRÈS! LISEZ LA NOTE DU CHEF : C'EST BON AVEC TOUT. --- M

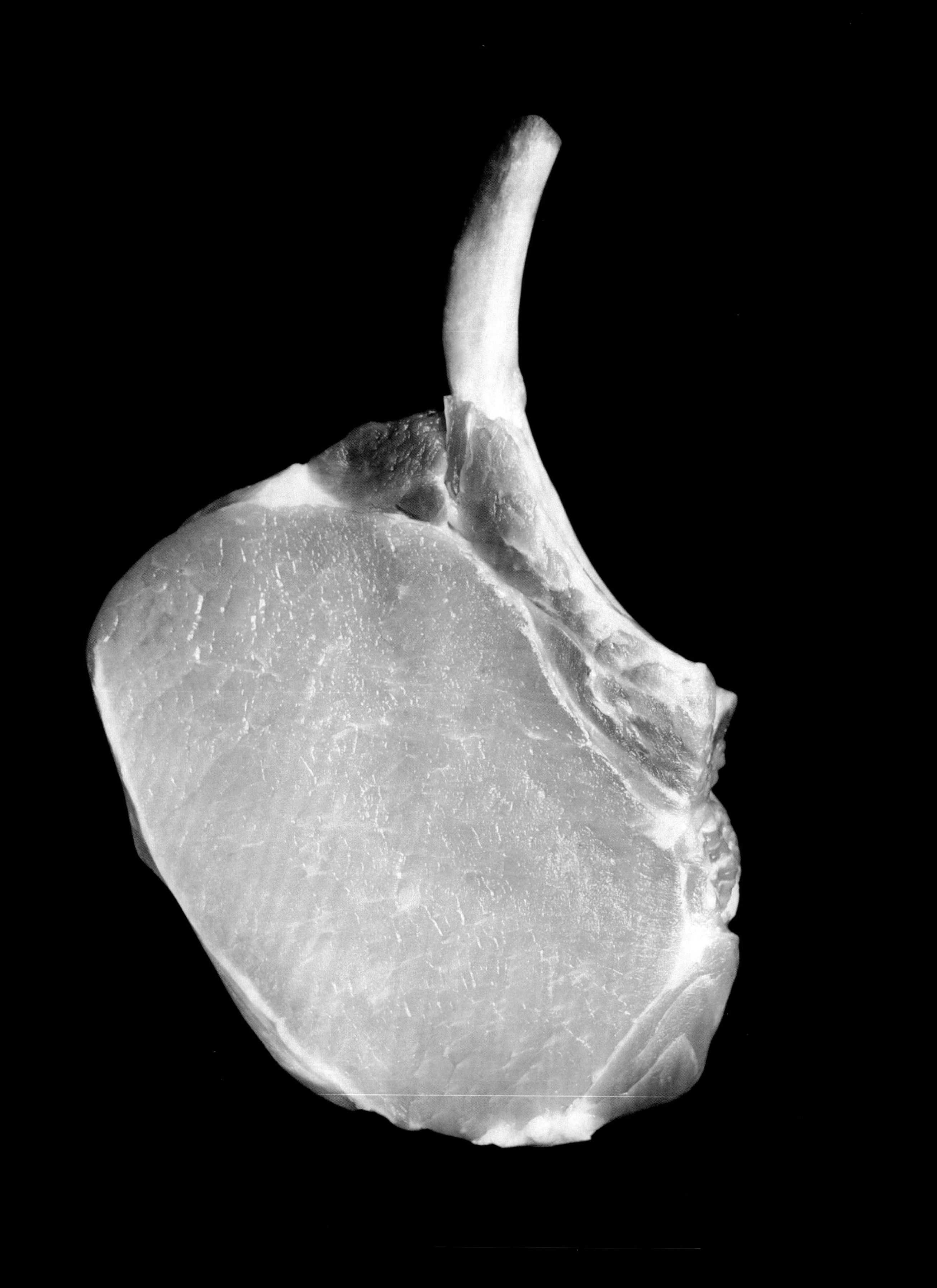

LE QUÉBEC PEUT VRAIMENT ÊTRE FIER DU PORC GASPOR. COMME JEUNES CHEFS, ON SE SENT INVESTIS DE LES ENCOURAGER 1) EN TRAVAILLANT LE PORC TOUJOURS MIEUX, **2) EN VOUS LE FAISANT CUISINER DE LA TÊTE À LA QUEUE. LITTÉRALEMENT.**

TYPE DE PLAT entrée
PORTIONS 4
PRÉPARATION 2 h 30
CUISSON 3 à 4 h
SAUMURE 8 h
À BOIRE Oregon, pinot noir

--- recette de Jean-Philippe ---

TÊTE DE PORCELET RÔTIE, SAUCE GRIBICHE

1 petite tête de porc
(préférablement de Gaspor)

SAUMURE
6 litres (24 tasses) d'eau chaude
750 g (3 ¾ tasses) de sel
750 g (3 ¾ tasses) de sucre
20 grains de poivre noir entiers
2 feuilles de thym
2 feuilles de laurier
2 branches de romarin
1 tête d'ail

SAUCE GRIBICHE
250 ml (1 tasse) de mayonnaise
1 œuf dur, haché
½ botte d'estragon, ciselée
½ botte de ciboulette, ciselée
½ botte de persil plat, ciselée
2 branches de thym, effeuillées
Quelques gouttes de sauce Tabasco
2 échalotes, émincées
Sel et poivre noir frais moulu

Déposer la tête de porc dans un bol et, sous un filet continu d'eau froide du robinet, la faire dégorger pendant au moins 2 heures.

Dans un très grand récipient, combiner les ingrédients de la saumure et y déposer la tête de porc. Faire saumurer pendant 8 heures. Retirer le porc de la saumure et bien rincer la viande sous l'eau du robinet.

Préchauffer le four à 110 °C (225 °F).

Transférer la tête de porc dans un grand pyrex ou sur une plaque de cuisson. Faire cuire au four pendant 3 à 4 heures. En fin de cuisson, augmenter le four à 220 °C (425 °F) pour obtenir une peau croustillante.

Entre-temps, mettre tous les ingrédients de la sauce gribiche dans un bol et bien mélanger. Réserver au réfrigérateur.

Servir la tête entière à table, avec la sauce gribiche. Si désiré, accompagner de céleri-rémoulade ou d'une simple salade.

--- Note du chef ---

Sautez dessus avec les mains!

GC
Porc
Pork
GASPOR
Fermes St-Canut Farms
FEF983

TYPE DE PLAT entrée
PORTIONS 4
PRÉPARATION 1 h
CUISSON 4 h
REPOS 1 h
À BOIRE Côte catalane, grenache

--- recette de Mathieu ---

CROQUETTES DE PORC AU PIMENT D'ESPELETTE

300 g (2/3 tasse) de cubes de porc (épaule désossée)
2 litres (8 tasses) de fond de porc ou de veau (voir p. 235)
1 carotte, pelée et coupée en deux
1 oignon, pelé et coupé en deux
2 branches de céleri, coupées en deux
4 gousses d'ail
2 branches d'origan
1 branche de thym
1 échalote, ciselée
15 tiges de ciboulette, ciselées
1 branche d'origan, effeuillée et ciselée
1 c. à café de piment d'Espelette
½ c. à café de miel
250 g (2 tasses) de farine
6 œufs, battus
450 g (4 tasses) de chapelure
Huile végétale (pour la friteuse)

Préchauffer le four à 190 °C (375 °F).

Dans une cocotte, mettre le porc, le fond de porc ou de veau, la carotte, l'oignon, le céleri, l'ail, l'origan et le thym. Cuire au four 4 heures à couvert. Retirer le porc, jeter les légumes et passer le jus de cuisson au tamis. Dans une casserole, réduire ce jus jusqu'à obtention d'une glace (voir la technique à la p. 235).

Entre-temps, mettre le porc dans un gros bol et effilocher la viande avec les mains. Ajouter l'échalote, la ciboulette, l'origan, le piment d'Espelette et le miel.

Quand le fond est assez réduit, l'incorporer au mélange de porc. Laisser reposer au réfrigérateur pendant 1 heure.

Préchauffer l'huile dans la friteuse à 190 °C (375 °F).

Façonner quatre boules de même dimension du mélange de porc. Dans trois assiettes, déposer respectivement la farine, les œufs battus et la chapelure. Passer les boules dans la farine, puis dans les œufs et la chapelure. Passer de nouveau dans les œufs et la chapelure seulement. Frire pendant 2 minutes.

Retournez à la page précédente et faites ma petite sauce gribiche pour aller avec ça. ---jp

TYPE DE PLAT principal
PORTIONS 4
PRÉPARATION 10 min
CUISSON 25 min
À BOIRE Chili, carménère

--- recette de Jean-Philippe ---

CARRÉ DE PORCELET GASPOR AUX FINES HERBES

1 carré entier de porcelet Gaspor, coupe française
8 gousses d'ail entières
1 botte de thym
1 botte de romarin
225 g (½ lb) de beurre
20 pommes de terre grelots, coupées en deux
Sel et poivre noir frais moulu

Préchauffer le four à 160 °C (325 °F).

Sur un plan de travail, déposer le carré. À la pointe du couteau, pratiquer de petites entailles dans la viande et y insérer les gousses d'ail. Recouvrir tout le carré de branches de fines herbes entières et, à l'aide d'une corde, ficeler les herbes en place. Transférer le carré dans un plat allant au four et badigeonner le dessus de beurre.

Disposer les grelots de pommes de terre partout autour. Cuire au four pendant 20 à 25 minutes.

Servir avec des haricots verts au beurre.

--- Note du chef ---

Il faut absolument goûter les porcelets de Gaspor. Ce sont les meilleurs au MONDE!

TYPE DE PLAT principal
PORTIONS 4
PRÉPARATION 30 min
CUISSON 3 h 45 min
REPOS 16 h
À BOIRE Allemagne, bière blanche

--- Recette de Mathieu ---

FLANC DE PORC CONFIT

4 flancs de porc avec la peau de 250 g (½ lb) chacun
400 g (2 tasses) de sucre
400 g (2 tasses) de gros sel
4 gousses d'ail, pelées
4 branches d'estragon frais, effeuillées
2 litres (8 tasses) de gras de canard ou de porc, fondu

Parer le flanc de porc s'il y a des résidus d'os ou de cartilage. Au robot culinaire, réduire en pâte le sucre, le gros sel, l'ail et l'estragon. Enrober le porc de ce mélange, mettre dans un plat et couvrir de pellicule plastique. Laisser reposer au réfrigérateur pendant 12 heures.

Préchauffer le four à 180 °C (350 °F).

Au bout de 12 heures, laver rapidement le porc à l'eau froide et l'assécher avec du papier absorbant. Dans une cocotte, déposer le porc et le gras fondu, en s'assurant de bien recouvrir la viande. Couvrir et cuire au four pendant 3 ½ heures. Après cuisson, enlever le porc du gras, le déposer dans un grand plat, recouvrir d'un autre plat et poser un poids (par exemple une grosse conserve) sur le dessus pour presser la viande. Réfrigérer pendant 4 heures.

Préchauffer de nouveau le four à 200 °C (400 °F). Dans une poêle allant au four, saisir le porc côté peau dessous et enfourner pour 10 à 15 minutes.

Servir.

Ça, ce serait délicieux avec une purée de pommes de terre ou une salade de betteraves marinées. L'acidité viendra tuer le gras du flanc de porc. ---JP

Lockwood
MADE IN

OUI, ENCORE DU POISSON ! VOICI SAUMON & FRIENDS ! APRÈS TOUT, UN DE NOS RESTOS S'APPELLE KITCHEN GALERIE POISSON. NON SEULEMENT ON CUISINE LE POISSON TOUS LES JOURS, LE PÊCHE DANS NOS TEMPS LIBRES. PUIS ON L'APPRÊTE À TOUTES LES SAUCES. (ON AIME LA SAUCE.)

TYPE DE PLAT entrée
PORTIONS 4
PRÉPARATION 20 min
CUISSON 5 min
REPOS 12 h
À BOIRE Japon, saké

--- recette de Jean-Philippe ---

OMBLE DE L'ARCTIQUE MARINÉ À L'ASIATIQUE, SALADE DE FÈVES DE SOYA

OMBLE DE L'ARCTIQUE MARINÉ

250 ml (1 tasse) de sauce soya
250 ml (1 tasse) de jus d'orange
250 ml (1 tasse) de mirin
2,5 cm (1 po) de racine de gingembre frais, émincée
1 orange, tranchée
1 filet d'omble de l'Arctique de 800 g (1 ¾ lb), avec la peau

SALADE DE FÈVES DE SOYA

250 ml (1 tasse) de fèves de soya (edamame)
1 grosse carotte, en brunoise
1 poivron rouge, en brunoise
1 concombre, en brunoise
1 échalote, émincée
½ botte de ciboulette, ciselée
½ botte de basilic, ciselée
¼ botte de coriandre, ciselée
60 ml (¼ tasse) de sauce soya
2 c. à soupe de miel
2 c. à soupe de vinaigre de riz
1 c. à soupe d'huile de sésame rôti
1 c. à soupe de graines de sésame noir
Sel et poivre noir frais moulu

Omble de l'Arctique mariné : Dans un grand plat, mélanger tous les ingrédients sauf l'omble. Y plonger le poisson et couvrir. Faire mariner au réfrigérateur pendant 12 heures.

Salade de fèves de soya : Combiner les fèves, les légumes et les fines herbes. Faire une vinaigrette avec la sauce soya, le miel, le vinaigre de riz et l'huile. Verser sur la salade, parsemer de sésame noir et assaisonner. Mélanger délicatement et réserver.

Retirer le poisson de la marinade et bien égoutter. Couper en tranches de 5 mm (¼ po). Avec un chalumeau, griller le côté chair seulement. Si vous n'avez pas de chalumeau, mettre sous le gril du four de 30 secondes à 1 minute.

Servir sur la salade.

--- Note du chef ---

On peut faire cette recette-là avec du saumon, ou chacun des *friends* d'ailleurs.

MOI, JE SUIS VRAIMENT PAS TRÈS « ASIATIQUE ». ÇA FAIT DIFFÉRENT, OK, MAIS MOI, JE LE MARINERAIS PLUTÔT DANS DU CHARDONNAY AVEC DE L'AIL, DU THYM ET DU ROMARIN. ET JE GARDERAIS LA MÊME GARNITURE ! --- M

TYPE DE PLAT entrée
PORTIONS 4
PRÉPARATION 30 min
CUISSON 30 min
REPOS 12 h
À BOIRE Crémant, bourgogne

--- recette de Mathieu ---

GRAVLAX DU KGP

GRAVLAX
200 g (1 tasse) de sucre
200 g (1 tasse) de gros sel
4 gousses d'ail, pelées
4 branches de thym
4 branches d'estragon frais
450 g (1 lb) de saumon

FONDUE DE POIREAU
2 blancs de poireau, lavés et émincés finement
1 c. à café de beurre
60 ml (¼ tasse) de vin blanc
60 ml (¼ tasse) de crème 35 %
Sel et poivre noir frais moulu

SAUCE AUX ŒUFS
1 c. à café de beurre
1 c. à café de farine tout usage
250 ml (1 tasse) de lait 2 %
1 gousse d'ail, hachée finement
1 œuf dur, haché
Sel et poivre noir frais moulu

4 tranches de pain blanc (style POM)
Huile végétale (pour la friteuse)

Gravlax : Dans un robot culinaire, réduire en pâte le sucre, le gros sel, l'ail, le thym et l'estragon. Enrober le saumon de ce mélange et laisser reposer au réfrigérateur à découvert pendant 12 heures.

Fondue de poireau : Dans une casserole à feu doux, faire suer les poireaux avec le beurre pendant 15 minutes. Déglacer au vin blanc et, à feu moyen, réduire à sec. Ajouter la crème et réduire de moitié. Assaisonner.

Sauce aux œufs : Dans une casserole à feu doux, faire fondre le beurre, parsemer de farine et faire cuire en remuant pendant 1 ou 2 minutes, le temps d'obtenir un roux. Verser peu à peu le lait froid sur le roux chaud tout en fouettant. Ajouter l'ail et l'œuf, puis cuire 15 minutes. Assaisonner.

Préchauffer l'huile dans la friteuse à 180 °C (350 °F). Couper les croûtes du pain. Aplatir la mie à l'aide d'un rouleau à pâte. Frire pendant 1 minute.

Pour servir, déposer la fondue de poireaux sur la sauce aux œufs. Garnir de toast et de saumon.

--- Note du chef ---

Attention au temps de repos ! C'est 12 heures max, sinon, ce sera trop salé.

TYPE DE PLAT principal
PORTIONS 4
PRÉPARATION 15 min
CUISSON 15 min
À BOIRE Chablis, chardonnay

--- recette de Mathieu ---

TRUITE DU LAC DU CERF (CELLE QUE J'AIMERAIS PÊCHER)

4 truites de 450 g (1 lb) chacune, lavées, écaillées et vidées

60 ml (1/4 tasse) d'huile d'olive

1 tête d'ail, rôtie*

2 pommes de terre moyennes à chair jaune, pelées, coupées en dés et blanchies

2 feuilles d'oseille, émincées

1 oignon vert, émincé

Le jus de 2 citrons verts

1 botte d'asperges

250 ml (1 tasse) de crème sure

1 c. à café de sambal œlek (sauce aux piments forts)

ÉQUIPEMENT
1 feu de camp

** Technique pour griller l'ail au feu de camp : Envelopper la tête d'ail de papier d'aluminium, verser un peu d'huile d'olive sur le dessus et sceller. Déposer dans les braises (blanches de préférence) et faire cuire 20 minutes.*

Partir le feu de camp et faire chauffer la grille.

Badigeonner les truites avec beaucoup d'huile. Dans un bol, mélanger l'ail rôti, les pommes de terre, l'oseille, l'oignon vert et le jus de citron vert. Assaisonner et farcir le poisson du mélange. Envelopper le poisson en papillotes individuelles, d'abord dans du papier parchemin, puis dans du papier d'aluminium. Bien sceller.

Assaisonner les asperges et arroser avec le reste de l'huile. Mettre dans une papillote. Bien sceller.

Cuire le poisson et les asperges, sur la grille, 7 minutes de chaque côté.

Dans un bol, mélanger la crème sure, le sambal œlek et le jus de cuisson des poissons. Servir à la bonne franquette.

TYPE DE PLAT principal
PORTIONS 6
PRÉPARATION 30 min
CUISSON 45 min
REPOS 30 min
À BOIRE Russie, vodka

--- recette de Jean-Philippe ---

KOULIBIAC DE SAUMON

1 sac (environ 140 g [4 ½ oz]) d'épinards, lavés et bien égouttés

1 c. à soupe de beurre

2 feuilles de pâte feuilletée du commerce, décongelée

1 filet de saumon d'environ 1,2 kg (2 ½ lb)

6 œufs durs, tranchés

2 jaunes d'œufs, battus

Sel et poivre noir frais moulu

DUXELLES DE CHAMPIGNONS

2 c. à soupe de beurre

2 barquettes de 225 g (8 oz) de champignons blancs, hachés

1 échalote, émincée

1 gousse d'ail, hachée

250 ml (1 tasse) de vin blanc

60 ml (¼ tasse) de chapelure

Pour préparer la duxelles, faire chauffer à feu moyen-vif le beurre dans une grande poêle, puis faire colorer les champignons. Ajouter l'échalote et l'ail, puis cuire 30 secondes. Déglacer au vin blanc et réduire à sec. Incorporer la chapelure. Assaisonner et refroidir au réfrigérateur.

Dans un poêlon, faire tomber les épinards dans le beurre pendant 1 minute. Refroidir au réfrigérateur.

Préchauffer le four à 220 °C (425 °F).

À l'aide d'un rouleau à pâtisserie, abaisser chaque feuille de pâte feuilletée pour obtenir un grand rectangle (l'un légèrement plus grand que l'autre). Sur la plus grande des abaisses, étaler la duxelles, puis les épinards. Déposer le saumon sur le tout et assaisonner. Recouvrir de tranches d'œufs durs, puis de la seconde abaisse de pâte. Badigeonner de jaunes d'œufs le contour de l'abaisse du dessus et replier les bords de l'abaisse du dessous pour sceller. Badigeonner le dessus du koulibiac du reste des jaunes d'œufs pour bien faire dorer.

Cuire au four pendant 15 minutes. Réduire la température à 160 °C (325 °F) et poursuivre la cuisson pendant 30 minutes.

Servir avec un beurre blanc (voir la recette à la page 138), relevé de 2 c. à soupe de caviar de mujol.

GRILLÉES, BRAISÉES, EN SAUCE, EN SALADE, EN SANDWICH (RIEN NE BAT UN BON BLT)… LES TOMATES SONT PARTOUT ET, POURTANT, LES VIEILLES VARIÉTÉS DEMEURENT MÉCONNUES. ALORS, VOICI NOTRE ODE À LA TOMATE ET NOTRE SALUT AU POTAGER MONT-ROUGE.

TYPE DE PLAT entrée
PORTIONS 4
PRÉPARATION 10 min
REPOS 1 h
À BOIRE montepulciano d'Abruzzo

--- recette de Mathieu ---

SOUPE FROIDE DE TOMATES JAUNES, SALADE DE NOIX DE PIN ET ESTRAGON

8 grosses tomates jaunes, émondées, épépinées et coupées en cubes

2 c. à soupe de vinaigre de champagne

125 ml (½ tasse) d'huile d'olive

3 c. à soupe de noix de pin, torréfiées au four (voir la technique à la p. 168)

12 tomates cerises rouges, coupées en quartiers

10 feuilles d'estragon frais, ciselées

1 c. à café d'huile de noix

Sel et poivre noir frais moulu

Dans un gros bol, mélanger les tomates jaunes et le vinaigre. Assaisonner et laisser reposer au réfrigérateur 1 heure. Ensuite, broyer les tomates à l'aide d'un pied-mélangeur. Incorporer l'huile doucement, en fin filet, en continuant de tourner au pied-mélangeur pour créer une émulsion. Verser dans des bols à soupe.

Dans un autre bol, mélanger les noix de pin torréfiées, les tomates cerises, l'estragon et l'huile de noix. Assaisonner et servir sur la soupe froide.

Pour épater la galerie, faites un bloody Caesar jaune avec la soupe !
--- JP

TYPE DE PLAT entrée
PORTIONS 4
PRÉPARATION 10 min
À BOIRE Région 4-5-0, bloody Caesar

--- recette de Jean-Philippe ---

SALADE DE TOMATES DU POTAGER MONT-ROUGE

Tomates de variétés différentes du potager Mont-Rouge
60 ml (¼ tasse) d'huile d'olive extra-vierge
2 c. à soupe de vinaigre balsamique (préférablement 25 ans)
½ botte de ciboulette, ciselée
2 échalotes, ciselées
½ botte de basilic, ciselée
Fleur de sel et poivre noir frais moulu

Trancher ou couper les tomates en quartiers.

Dans un bol, combiner l'huile, le vinaigre, les fines herbes, le sel et le poivre pour faire une vinaigrette.

Disposer joliment les tomates dans une grande assiette de service. Napper de vinaigrette et servir.

--- Note du chef ---

Utilisez le plus de variétés de tomates possibles pour faire la recette. Elle est vraiment simple, mais toutes les caractéristiques de la tomate sont «à leur meilleur».

TYPE DE PLAT accompagnement
PORTIONS 4
PRÉPARATION 1 h
CUISSON 5 h
REPOS 3 h
À BOIRE Fief vendéen, cabernet

--- recette de Mathieu ---

TOMATES CONFITES, POIREAUX À LA VINAIGRETTE, CRÈME SURE À LA CORIANDRE

TOMATES CONFITES

12 tomates italiennes, émondées et coupées en deux sur la longueur
3 gousses d'ail, hachées
60 ml (¼ tasse) d'huile d'olive
12 branches de thym
Sel et poivre noir frais moulu
Sucre, au goût

CRÈME SURE À LA CORIANDRE

10 branches de coriandre, émincées
2 c. à soupe d'huile végétale
125 ml (½ tasse) de crème sure
Le jus de ½ citron vert
Sel et poivre noir frais moulu

POIREAUX À LA VINAIGRETTE

4 mini-poireaux, coupés en deux sur la longueur
2 c. à café de vinaigre de vin blanc
½ c. à café de miel
Toute l'huile de cuisson des tomates
20 feuilles de mâche
Sel et poivre noir frais moulu

Préchauffer le four à 135 °C (275 °F).

Sur une plaque de cuisson recouverte de papier parchemin, disposer les tomates, côté coupé vers le bas. Assaisonner chaque tomate d'ail, d'huile d'olive, de thym, de sel, de poivre et de sucre. Cuire au four pendant 5 heures.

Dans un bol, broyer la coriandre et l'huile végétale au pied-mélangeur. Incorporer la crème sure avec le pied-mélangeur et finir avec le jus de citron vert. Assaisonner.

Dans une casserole d'eau bouillante salée, blanchir les poireaux pendant 30 secondes. Dans un bol, fouetter le vinaigre de vin blanc, le miel et l'huile de cuisson des tomates pour obtenir une vinaigrette. Ajouter les poireaux, couvrir et laisser mariner 3 heures. Mélanger avec les feuilles de mâche à la dernière minute. Assaisonner.

Servir.

--- Note du chef ---

Mettez du papier parchemin dans le fond de votre plaque de cuisson si vous ne voulez pas la ruiner. Ce serait délicieux avec un poisson blanc comme la sole ou le flétan poêlé, ou encore avec une caille ou un faisan poêlé.

TYPE DE PLAT entrée
PORTIONS 4
PRÉPARATION 10 min
CUISSON 10 min
À BOIRE Grèce, ouzo

--- recette de Jean-Philippe ---

TOMATES GRILLÉES À LA FETA, CONCOMBRE, OIGNONS ET RADIS

- 12 tomates italiennes, coupées en deux
- 3 c. à soupe d'huile d'olive + 1 filet pour le service
- 180 ml (¾ tasse) de yogourt nature
- ½ botte de menthe, hachée
- Le jus de 1 citron
- 2 concombres libanais, en brunoise
- ½ oignon rouge, en brunoise
- 4 radis, tranchés finement à la mandoline
- 150 g (5 oz) de fromage feta
- Sel et poivre noir frais moulu

Préchauffer le gril du barbecue à feu moyen.

Passer les demi-tomates dans un peu d'huile d'olive et faire griller sur le barbecue, côté chair vers le bas, jusqu'à ce qu'elles soient joliment marquées.

Entre-temps, dans un bol, fouetter ensemble le yogourt, la menthe et le jus de citron. Assaisonner.

Retirer les tomates et les mélanger aux autres légumes dans un bol (ou superposer les ingrédients dans une assiette, c'est comme on veut).

Ajouter le fromage feta en morceaux. Napper de vinaigrette et arroser d'un filet d'huile d'olive.

Servir avec beaucoup de pain et du bon vin.

--- Note du chef ---

Une recette parfaite quand les tomates sont hors saison.

POULET, PERDRIX, CAILLE : QUE LES VOLAILLES SE TRAVAILLENT DIFFÉREMMENT ET CHANGENT DE GOÛT SELON L'ÉLEVAGE, ON TROUVE ÇA STIMULANT. ET PARCE QU'ON EST POINTILLEUX SUR LA PROVENANCE, **ON A UN MÉCHANT FAIBLE POUR LES FERMES DU QUÉBEC.**

TYPE DE PLAT entrée
PORTIONS 4
PRÉPARATION 30 min
CUISSON 3 h
À BOIRE Chili, sauvignon blanc

--- recette de Mathieu ---

VELOUTÉ DE PERDRIX DE MONT-LAURIER, CARAMEL DE CIDRE

4 cuisses de perdrix (ou autre volaille au choix)
2 grosses carottes, pelées et émincées
1 branche de céleri, filaments retirés et émincée
1 échalote, émincée
3 gousses d'ail, pelées
1 feuille de laurier
2 branches de thym
1 branche de sauge fraîche
3 litres (12 tasses) d'eau
2 panais, pelés et coupés en dés
1 blanc de poireau, émincé
2 carottes jaunes, pelées et coupées en dés
1 pomme de terre, pelée et coupée en dés
3 mini-rabioles (navets blancs), pelées et coupées en dés
250 ml (1 tasse) de crème 35 %
Sel et poivre noir frais moulu

CARAMEL DE CIDRE
1 bouteille (341 ml) de cidre
2 c. à soupe de sucre

Préchauffer le four à 200 °C (400 °F).

Dans une cocotte (ou une grande casserole pouvant aller au four), déposer les cuisses de perdrix, les carottes, le céleri, l'échalote, l'ail, le laurier, le thym, la sauge et l'eau. Amener à ébullition. Couvrir et cuire au four pendant 2 ½ heures.

Retirer les cuisses, enlever la peau, désosser la chair et effilocher. Réserver. Passer le jus de cuisson au chinois ou au tamis fin. Remettre dans la casserole et, à feu vif, faire réduire à 1 litre (4 tasses). Ajouter les légumes. Cuire 15 minutes à feu moyen. Incorporer la crème et assaisonner.

Dans une casserole, faire bouillir le cidre et le sucre. Cuire 15 minutes jusqu'à consistance de caramel.

Verser le velouté dans des assiettes creuses. Garnir de viande de perdrix effilochée et décorer de caramel.

PAILLARD

TYPE DE PLAT entrée
PORTIONS 4
PRÉPARATION 20 min
CUISSON 3 h
REPOS 24 h
À BOIRE Blanquette de Limoux

--- recette de Mathieu ---

TERRINE DE VOLAILLE BRAISÉE AUX PISTACHES

300 g (2/3 lb) de suprêmes de volaille sans la peau

1 échalote, pelée et émincée

1 blanc de poireau, émincé

1 gousse d'ail, pelée

125 ml (½ tasse) de muscatel

1 litre (4 tasses) de fond de volaille (voir p. 234)

3 branches d'estragon frais, effeuillées et hachées

1 c. à café de moutarde à l'ancienne

1 c. à café de miel

30 g (¼ tasse) de pistaches, torréfiées (voir technique p. 168)

Préchauffer le four à 200 °C (400 °F).

Dans une cocotte, combiner les suprêmes, l'échalote, le poireau, l'ail, le muscatel et le fond de volaille. Couvrir et cuire au four pendant 2 ½ heures.

Retirer la volaille et les légumes du jus de braisage. Réserver. Passer le jus au chinois ou au tamis fin, remettre dans la casserole et réduire à feu moyen pendant 30 minutes ou jusqu'à ce qu'il reste 250 ml (1 tasse) de liquide.

Dans un bol, mélanger la volaille et les légumes réservés, la moutarde, le miel, l'estragon, les pistaches et le jus de cuisson réduit. Mélanger jusqu'à l'obtention d'un mélange homogène. Verser dans une terrine et bien presser le mélange. Laisser reposer 24 heures au réfrigérateur.

--- Note du chef ---

Idéalement, laissez reposer la terrine environ 24 heures pour qu'elle prenne sa forme. Si vous n'avez pas le temps, enveloppez-la hermétiquement et posez-la dans un bain de glace pendant 3 ou 4 heures.

Pour changer, vous pouvez remplacer les pistaches par des noisettes. --- jp

TYPE DE PLAT principal
PORTIONS 4
PRÉPARATION 20 min
CUISSON 1 h
À BOIRE Bourgogne, pouilly-fuissé

--- recette de Jean-Philippe ---

POULET COMME CHEZ GEORGES BLANC

1 poulet
2 c. à soupe de beurre
1 oignon, haché
1 barquette de 225 g (8 oz) de champignons blancs, tranchés
2 branches de thym
1 feuille de laurier
10 grains de poivre noir entiers
250 ml (1 tasse) de vin blanc
1 litre (4 tasses) de crème 35 %
Sel et poivre noir frais moulu

Préchauffer le four à 220 °C (425 °F).

Retirer les cuisses du poulet et réserver. Déposer le reste du poulet dans un plat et cuire au four de 5 à 10 minutes ou jusqu'à coloration. Réduire le four à 160 °C (325 °F) et cuire encore 20 minutes. Réserver au chaud.

Dans une casserole à feu moyen, faire revenir les cuisses dans le beurre chaud. Ajouter l'oignon, les champignons et les aromates. Cuire 3 minutes. Déglacer au vin blanc et, à feu vif, réduire de moitié. Mouiller de crème et, à feu doux cette fois, faire pocher le poulet pendant 20 à 25 minutes.

Retirer les cuisses, puis passer la sauce au chinois (ou au tamis fin) en jetant les légumes.

Désosser les poitrines et les réchauffer dans la sauce en même temps que les cuisses.

Servir avec un riz pilaf pour l'expérience totale à la Georges Blanc.

--- Note du chef ---

Ah ! Georges Blanc ! Si vous allez en France, vous devez manger un poulet de Bresse, absolument ! C'est impossible à trouver au Québec, alors ne cherchez pas !

TYPE DE PLAT principal
PORTIONS 2
PRÉPARATION 20 min
CUISSON 1 h
À BOIRE Alsace, pinot blanc

--- recette de Jean-Philippe ---

PINTADE RÔTIE À L'EMBEURRÉE DE CHOU

1 pintade
2 c. à soupe de beurre
Sel et poivre noir frais moulu

EMBEURRÉE DE CHOU
225 g (½ lb) de lard fumé, en lardons
1 gros oignon, émincé
1 gousse d'ail, hachée
1 chou frisé, émincé
500 ml (2 tasses) de crème 35 %
2 branches de thym
Sel et poivre noir frais moulu

Préchauffer le four à 230 °C (450 °F).

Déposer la pintade dans un plat, la beurrer généreusement, saler et poivrer. Faire colorer au four pendant 10 minutes. Réduire le four à 160 °C (325 °F) et cuire encore pendant 45 minutes.

Entre-temps, faire revenir les lardons dans un poêlon. Retirer les lardons en conservant le gras. Y faire suer l'oignon et l'ail. Incorporer le chou, en l'enrobant bien de gras. Remuer sans arrêt pendant 1 ou 2 minutes. Incorporer la crème et le thym, puis faire mijoter 15 minutes. Assaisonner. Retirer le thym et réincorporer les lardons.

Couper la pintade en deux et servir avec l'embeurrée de chou.

--- Note du chef ---
Si vous le pouvez, ajoutez deux foies gras poêlés et des truffes noires sur le dessus de la pintade. Ça fait un *super size me*, comme au Kitchen.

RECETTES DE BASE

FUMET DE POISSON

RENDEMENT Environ 5 litres (20 tasses)
PRÉPARATION 20 min
CUISSON 6 h

1 kg (2 ¼ lb) d'arêtes de poisson blanc (style flétan), rincées
6 oignons espagnols, pelés et coupés grossièrement
5 branches de céleri, coupées grossièrement
2 blancs de poireau, coupés grossièrement
1 tête d'ail, pelée et coupée grossièrement
5 branches de thym
2 feuilles de laurier
5 grains de poivre noir
Eau

Dans une grande casserole, combiner tous les ingrédients, en ajoutant suffisamment d'eau pour couvrir. Amener à ébullition, réduire le feu au minimum et laisser frémir pendant 6 heures. Passer au chinois étamine ou dans un tamis fin. Jeter les aromates et réserver le fumet au réfrigérateur ou au congélateur, selon vos besoins.

FOND DE VOLAILLE

RENDEMENT Environ 5 litres (20 tasses)
PRÉPARATION 20 min
CUISSON 6 h

1 kg (2 ¼ lb) d'os de volaille, rincés
6 oignons espagnols, pelés et coupés grossièrement
5 branches de céleri, coupées grossièrement
2 blancs de poireau, coupés grossièrement
1 tête d'ail, pelée et coupée grossièrement
5 branches de thym
2 feuilles de laurier
5 grains de poivre noir
Eau

Dans une grande casserole, combiner tous les ingrédients, en ajoutant suffisamment d'eau pour couvrir. Amener à ébullition, réduire le feu au minimum et laisser frémir pendant 6 heures. Passer au chinois étamine ou dans un tamis fin. Jeter les aromates et réserver le fond au réfrigérateur ou au congélateur, selon vos besoins.

FOND BRUN DE VEAU

RENDEMENT Environ 5 litres (20 tasses)
PRÉPARATION 20 min
CUISSON 16 h

5 kg (11 lb) d'os de veau
1 c. à soupe de pâte de tomate
6 oignons espagnols, pelés et coupés grossièrement
5 branches de céleri, coupées grossièrement
2 blancs de poireau, coupés grossièrement
1 tête d'ail, pelée et coupée grossièrement
5 branches de thym
2 feuilles de laurier
5 grains de poivre noir
Eau

Préchauffer le four à 200 °C (400 °F.) Y faire rôtir les os pendant 3 heures. Ajouter la pâte de tomate, bien mélanger et continuer la cuisson pendant 1 heure. Dans une grande casserole, combiner tous les ingrédients, en ajoutant suffisamment d'eau pour couvrir. Amener à ébullition, réduire le feu au minimum et laisser frémir pendant 12 heures. Passer au chinois étamine ou dans un tamis fin. Jeter les aromates et réserver le fond au réfrigérateur ou au congélateur, selon vos besoins.

Pour obtenir une demi-glace, laisser réduire le fond encore de moitié, environ 30 minutes.

Pour obtenir une glace, laisser réduire la demi-glace encore de moitié.

MAYONNAISE MAISON

PORTIONS : 4
PRÉPARATION : 5 min
CUISSON : aucune

2 jaunes d'œufs
½ c. à café de moutarde de Dijon
500 ml (2 tasses) d'huile végétale
1 citron (jus)
2 gouttes de sauce Tabasco
1 c. à café de vinaigre de vin rouge
Sel et poivre

Dans un bol, battre les jaunes d'œufs et la moutarde ensemble pendant 1 minute. Verser l'huile en fin filet en fouettant constamment. Toujours en fouettant, ajouter ensuite le jus de citron, la sauce Tabasco, le vinaigre de vin rouge, le sel et le poivre.. Servir.

REMERCIEMENTS

UN GROS MERCI ET UNE PETITE TAPE DANS LE DOS !

À nos associés, Axel Mevel et Mathieu Bourdages, et aux équipes qui participent à la vie quotidienne des restos.

À ma fiancée, Émilie Di Salvo, pour sa compréhension et son soutien tout au long de ce projet.

À nos parents et à nos amis, qui nous soutiennent depuis le jour 1 de cette aventure. (Et même bien avant !)

À l'équipe des Éditions de l'Homme, qui nous a accompagnés dans la création de ce livre et qui a *dealé* avec nos horaires difficiles… et nos humeurs changeantes.

À notre photographe, Fabrice Gaëtan, a.k.a Pèse su'l'piton, pour son amitié et son talent.

À Chantale Legault et à Dominique Dubé, pour leur patience et leur imagination.

À Émilie Routhier, pour sa bonne humeur et ses petits cafés.

À tous les producteurs, tous les fournisseurs et les collaborateurs avec lesquels on travaille depuis des années et qui font aussi partie de la famille du Kitchen.

À tous nos clients, qui sont devenus nos amis.

LISTE DES RECETTES

Suivez-nous sur le Web

Consultez nos sites Internet et inscrivez-vous à l'infolettre pour rester informé en tout temps de nos publications et de nos concours en ligne. Et croisez aussi vos auteurs préférés et notre équipe sur nos blogues !

EDITIONS-HOMME.COM
EDITIONS-JOUR.COM
EDITIONS-PETITHOMME.COM
EDITIONS-LAGRIFFE.COM

Achevé d'imprimer au Canada